総合判例研究叢書

民　　法(9)

有 斐 閣

序

フランスにおいて、自由法学の名とともに判例の研究が異常な発達を遂げているのは、その民法典が百五十余年の齢を重ねたからだといわれている。それに比較すると、わが国の諸法典は、まだ若い。最も古いものでも、六、七十年の年月を経たに過ぎない。しかし、わが国の諸法典は、いずれも、近代的法制を全く知らなかつたところに輸入されたものである。そのことを思えば、この六十年の間に極めて重要な判例の変遷があつたであろうことは、容易に想像がつく。事実、わが国の諸法典は、それに関連する判例の研究でこれを補充しなければ、その正確な意味を理解し得ないようになつている。

判例が法源であるかどうかの理論については、今日なお議論の余地があろう。しかし、実際問題として、多くの条項が判例によつてその具体的な意義を明かにされているばかりでなく、判例によつて特殊の制度が創造されている例も、決して少くはない。判例研究の重要なことについては、何人も異議のないことであろう。

判例の創造した特殊の制度の内容を明かにするためにはもちろんのこと、判例によつて明かにされた条項の意義を探るためにも、判例の総合的な研究が必要である。同一の事項についてのすべての判決を探り、取り扱われた事実の微妙な差異に注意しながら、総合的・発展的に研究するのでなければ、判例の研究は、決して終局の目的を達することはできない。そしてそれには、時間をかけた克明な努力を必要とする。

幸なことには、わが国でも、十数年来、そうした研究の必要が感じられ、優れた成果も少くないようになつた。いまや、この成果を集め、足らざるを補ない。欠けたるを充たし、全分野にわたる研究を完成すべき時期に際会している。

かようにして、われわれは、全国の学者を動員し、すでに優れた研究のできているものについては、その補訂を乞い、まだ研究の尽されていないものについては、新たに適任者にお願いして、ここに「総合判例研究叢書」を編むことにした。第一回に発表したものは、各法域に亘る重要な問題のうち、研究成果の比較的早くでき上ると予想されるものである、これに漏れた事項でさらに重要なもののあることは、われわれもよく知つている。やがて、第二回、第三回と編集を継続して、完全な総合判例法の完成を期するつもりである。ここに、編集に当つての所信を述べ、協力される諸学者に深甚の謝意を表するとともに、同学の士の援助を願う次第である。

昭和三十一年五月

編集代表
小野清一郎　宮沢俊義
末川博　我妻栄
中川善之助

凡例

一　判例の重要なものについては、判旨、事実、上告論旨等を引用し、各件毎に一連番号を附した。

二　判例年月日、巻数、頁数等を示すには、おおむね左の略号を用いた。

大判大五・一一・八民録二二・二〇七七　（大審院判決録）

（大正五年十一月八日、大審院判決、大審院民事判決録二十二輯二〇七七頁）

大判大一四・四・二三刑集四・二六二　（大審院判決録）

最判昭二二・一二・一五刑集一・一・八〇　（最高裁判所判例集）

（昭和二十二年十二月十五日、最高裁判所判決、最高裁判所刑事判例集一巻一号八〇頁）

大判昭二・一二・六新聞二七九一・一五　（法律新聞）

大判昭三・九・二〇評論一八民法五七五　（法律評論）

大判昭四・五・二二裁判例三・刑法五五　（大審院裁判例）

福岡高判昭二六・一二・一四刑集四・一四・二一一四　（高等裁判所判例集）

大阪高判昭二八・七・四下級民集四・七・九七一　（下級裁判所民事裁判例集）

最判昭二八・二・二〇行政例集四・二・二三一　（行政事件裁判例集）

名古屋高判昭二五・五・八特一〇・七〇　（高等裁判所刑事判決特報）

東京高判昭三〇・一〇・二四東京高時報六・二・民二四九　（東京高等裁判所判決時報）

札幌高決昭二九・七・二三高裁特報一・二・七一　（高等裁判所刑事裁判特報）

前橋地決昭三〇・六・三〇労民集六・四・三八九　　（労働関係民事裁判例集）

その他に、例えば次のような略語を用いた。

裁判所時報＝裁　時　　家庭裁判所月報＝家裁月報

判例時報＝判　時　　判例タイムズ＝判　タ

目次

過失の要件　石本雅男

業務上の過失　四宮和夫

過失の要件

石本雅男

はしがき

本稿でとりあつかつた判例は、どのような場合に民法上過失があるとみられるかということに関するものであるから、過失に関係のある判例のうちの一部に過ぎないが、それでも、その数は相当多く、現在までの主として高等裁判所以上のものでも約五〇〇に達する状態である。したがつてそのうちの主要なものだけを抽出して引用するのも一つの方法であるが、過失があるか否かの判断の限界はかなり微妙なところがあるとともに比較的類似している事実について過失の存否を決定する根拠の提示の仕方も必ずしも一様でなく、且このような問題については、すでに多数の判例の存在するということ、すなわち判例の数もまたその判例の妥当性について一つの有力な根拠となる場合もあるので、できるだけ多くのものを収録することによつて判例の傾向を示すための一助とすることも望ましいと考えたのである。だが、それらのすべてについて判示の原文を抄録するとすれば、それは到底紙面の都合上不可能なので、主要なものを除いてはその要旨のみをかかげ、なるべく多くのものを収めることとしたのである。

判決の要旨は大体において判例体系所載の文言によつたが、あまり簡略にすぎて意をつくさぬと考えられたものについては多少手を加えてくわしくして、大体これだけで判決の要点がわかるように試みた次第である。

一　序説

過失とは、故意とともに、それによって他人に損害を与えた行為者をして、それに対して責任を帰属させるための法の非難原因である。そしてその非難の形式は、民事責任においては損害賠償責任を帰属せしめることである。わが民法第七〇九条は「故意又ハ過失ニ因テ他人ノ権利ヲ侵害シタル者ハ之ニ因リテ生シタル損害ヲ賠償スル責ニ任ス」と規定しているが、債務の不履行については、民法第四一五条に「債務者カ其債務ノ本旨ニ従ヒタル履行ヲ為ササルトキハ債権者ハソノ損害ノ賠償ヲ請求スルコトヲ得債務者ノ責ニ帰スヘキ事由ニ因リテ履行ヲ為スコト能ハサルニ至リタルトキ亦同シ」とのみ規定しているので、債務不履行により損害賠償を請求するには、債務者に故意または過失があることを要しないという判例ならびに学説があるが（【1】【2】）、近時はこれを要するとするものが多い（【3】【4】）。（但し下級審には早くから故意または過失を要するとするものもあつた（東京地判明四〇・六・一三新聞四四〇・三））

【1】　「民法第四百十五条ニハ単ニ履行ヲ為サヽルトキハ云々ト規定セルカ故ニ苟モ債務不履行ノ事実アルニ於テハ其債務者ノ故意又ハ過失ニ原因スルト否トヲ問ハス債権者ハ同条ニ従ヒ損害賠償ヲ請求スルコトヲ得ルハ明白ナリ民法第四百十九条第二項ニ於テ特ニ金銭債務ノ不履行ニ因ル損害賠償ニ付テハ不可抗力ヲ以テ抗弁ト為スコトヲ得スト規定シタルニ鑑ミレハ金銭債務以外ノ債務ノ不履行ニ因ル損害賠償ニ付テハ不可抗力ヲ以テ抗弁ト為シ得ルコトハ疑ナキ所ナリト雖モ不可抗力ヲ以テ抗弁ト為スコトヲ得ルカ故ニ故意又ハ過失ニ原因セサル債務ノ不履行ハ損害賠償ノ請求権ヲ発生セシメス換言スレハ損害賠償ノ請求権ヲ発生スルニハ債務

ノ不履行カ故意又ハ過失ニ原因スルコトヲ要スト論スルヲ得ス何トナレハ不可抗力ニヨル不履行ト故意又ハ過失ニ原因セサル不履行トハ必スシモ其観念ヲ同フスルモノニ非ス仮リニ同一意義ナリトスルモ不可抗力ヲ以テ抗弁ト為スト云ヘハ一面ニ於テ損害賠償ノ請求権ノ存在ヲ認ムルモノナレハ債務ノ不履行カ不可抗力ニ因ル場合即故意又ハ過失ニ原因セサル場合ニ於テモ損害賠償ノ請求権ハ成立スト論結スルヲ以テ寧ロ正当ナリトスレバナリ……」（大判明四〇・一一・二　民録一三・一〇六七）。

【2】「履行不能ト不可抗力ノ場合ヲ除キテハ債務者ハ過失ノ有無ニ拘ラス其不履行ノ責ヲ免ルルヲ得サルコトハ民法第四百十五条以下数条ノ規定ニ徴シ疑ナキ所ナリ」（大判明四一・二・二五　民録一四・一〇一）。

【3】「凡ソ債務者カ其債務不履行ニ付遅滞ノ責ニ任スルハ其債務ヲ履行セサルニ付キ過失アルコトヲ要スルヲ以テ苟シクモ債務者ニシテ其債務ヲ履行セサルモ其ノ間何等ノ過失ナキ限リハ履行遅滞ノ責ニ任セサルモノト解スルヲ妥当トス蓋シ吾カ民法上少クトモ損害賠償ニ関シテハ原則トシテ過失責任主義ヲ採用シタルノミナラス殊ニ同法第四百十九条第二項ニ金銭債務不履行ニ付キ特ニ不可抗力ノ抗弁ヲ為シ得サル旨規定セル律意ニ徴スレハ金銭債務以外ノ一般債務ニ付キ該抗弁ヲ提出シ得ル結果債務者ニ過失ナキ限リ其不履行ニ付キ遅滞ノ責ニ任セサルモノト謂ハサルヲ得ス況ンヤ同法第四百十五条ニ依レハ債務者カ履行不能ニ付キ損害賠償ノ責ニ任スルニハ過失アルヲ要スルコト明白ナルヲ以テ履行遅滞ト其ノ間差等ヲ設ケ特ニ後者ニ付キ結果責任ヲ課シ何等過失ヲ要セサルモノト解スルノ失当ナルコト言ヲ俟タサレハナリ」（東京地判大七・三・二一、評論七民一三一）。

【4】「債務者ハ債務ノ履行期ニ履行セサルノ一事ヲ以テ履行遅滞ノ責ニ任ス可キモノニ非ス其不履行ニ付キ過失アル場合ニ於テ其責ニ任ス可キモノナリ」（大判大一〇・一一・二二　民録二七・一九七八）。同趣旨（大判大一四・二・二七　民集四・九七）。

ところで故意と過失とを区別する実益は、民事責任に関する限りは、特別の場合を除いては、存在しない。特別の場合というのは、一般的にいえば加害者に責任を帰属せしめるべきか否かという点についてではなくして、過失相殺の場合のように、被害者と加害者の間に、また債権者と債務者の間に、その責任をどのように分担させるべきかという考量判断に際して、それぞれの当事者に故意があつたか否か単に過失が存在したに過ぎないかという点の判断が実益を伴うのである。だから責任を帰属せしめるべきか否かという点については、尠くとも過失があれば責任ありという原則を採用していると解されているわが民法の原理の上では、帰責原因または非難原因（非難性）としては、故意と過失の間に区別をなすことは無意味であつて、故意は最も重い程度の過失とみても不都合はない。ただ失火の責任の場合のように、過失が軽過失にすぎないときは免責される場合、即ち重過失の場合にのみ責任をみとめる場合には、故意があることは当然重過失に基く責任をみとめるべきであるから、軽過失がなくとも故意があることは帰責に関して両者を区別する意義がないとはいわれない。しかしこれも結局は重過失があるか否かということに意味があるのであつて、故意と過失を帰責原因として区別することに意味があるわけではない。判例も損害賠償請求について故意と過失の実益上の区別をみとめない（【5】【6】【7】）。

【5】「……而シテ被告ニ賠償ノ責ニ帰スヘキ基本タル事由ノ故意ナルヤ過失ナルヤハ之ヲ執レニ決スルモ本訴ノ法律関係ヲ事実上別異ノモノタラシムル理由タラサルハ勿論ナレハ此主張ノ二様ナルカ為メ請求原因ヲ不定ナラシムルモノニアラス（大阪地判明四〇・七・一六新聞四五二・五）。

【6】「請求原因ヲ掲クルニ当リテハ以上ノ如ク権利関係ノ因リテ生スル事実ヲ記載スルヲ以テ足リ之ヲ不法行為ニ付テ云ヘハ其行為カ行為者ノ故意若クハ過失ニ出テタル事実ヲ挙クレハ可ナルモノニシテ上告論旨ノ

如ク行為者ノ行為カ故意若クハ過失ノ何レカ其一ニ原因スルコトヲ確定シテ主張セサルトモ請求ノ原因一定セサルモノト云フヲ得ス」（大判明四三・二・二民録一六・四五）。

【7】「原告ハ本件ハ被告ノ故意ノ行為ニヨリ生シタル損害ヲ賠償セシムルニアリト謂フニ在レトモ前示第一乃至第四ノ事実ヲ被告カ認メタレハトテ未タ以テ被告ニ故意アリシモノト速断シ得ヘカラサルニヨリ其ノ主張ヲ容ルルニ由ナキモ民法不法行為ノ条項ニ於テハ刑事責任ト異ナリ故意ト過失トハ同列ニ置カルルニヨリ原告カ故意ヲ原因トシテ請求スル場合ニ過失ニ基ク損害賠償ノ請求ヲ認容シ得ヘシ」（咸興地院永興支判大一〇・一一・一六新聞一九二四・一七）

かように現行民法下、賠償責任発生原因としては、故意と過失を区別することに実益がないとすれば、何故民法第七〇九条が「故意又ハ過失」という表現を用いているかということは、単に故意があれば勿論、尠くとも過失がある限り責任あり、ということ以上には、実は法の歴史的な遺物であるといつてよい。何故ならば、現行民法の成立に間接的に影響を与えたローマ法においては、古代法一般の例に洩れず、不法行為責任と債務不履行の責任は当初未分化であり、結果責任主義の原理に立つた。かかる違法行為は、「違法に」損害を与えたという理由に基いて賠償をふくむ刑罰が科せられた。後に不法行為責任と契約責任が分化し、前者は一般的性格としてはなお刑罰的性格を久しくとどめたに反して後者は賠償責任に転化した。しかも両者ともに古典時代までは結果責任の原理に立ち、その後については種々議論がある。かような結果責任の原理のもとにおいても、すでに帰責原因として dolus（悪意、故意）または culpa（過失）がみとめられていたが、culpa は現今の過失と異り、不可抗力によらないで加害者により惹起された損害の賠償責任帰属の根拠を意味する一般的技術語であつた。だから「culpa により」ということが「違法に」ということを意味する時には dolus もふくみ、また dolus と対立しても用いられた。しかも契約責任においては後に culpa の程度が区別され、別に custodia（保管責任）という一種の無過失責任原理の体系が culpa 責任の原理と結合した。しかしながら他面、私犯については刑事責任と民事責任が未分化であつたので、dolus による違法行為と culpa によるそれとは責任の内容を異にした場合が色々あつた。だからこの二つの責任が分化し、法が専ら行為の結果の違法性（損害惹起）に非難の目をむけて、行為そのものの違法性に非難の目をむけなくなるとともに、帰責原因として故意と過失とを区別することは実益が伴わなくなつたのである。

今日、過失の概念そのものは故意と比較して観念されるのが通例である。一般的にいえば、故意とは行為者が行為の結果を予見しながら敢て行為をする容態をいい、過失とは結果を予見すべきにかかわらず予見しないで行為する容態をいう。そして民事責任を帰属せしめるべき原因としての故意ある行為とは、行為者が自己の行為が違法な結果を招来することを知りながら敢てその態度にでる場合の容態であり、責任原因としての過失ある行為とは、自己の行為が違法の結果を招来するであろうことを通常人の弁識力を有する者（標準人）ならば予見し得るにもかかわらず行為者がそれを予見しないでその態度にでる場合の容態である。そして法が行為者に賠償責任を帰属せしめるということは、その加害行為（損害惹起）を非難することである。即ちかような加害行為をなすことまたは履行義務に反することは、他人の利益を侵害しないように注意をなすべき義務の違反であるという理由によつて非難するのである。そこで過失が何かということを知るためには、人は私法生活上如何なる注意をしなければならない義務があるかを知ることであり、その注意義務違反があるときに過失があるということになるのである。

ところで人々が取引生活において負うといる注意義務とは、通常一般に取引をなす者が当然有する弁識力を標準として、かような弁識力を有する者ならば当然なすべきであると社会一般から期待される程度の注意を払う義務であつて、自己の行為が他人に損害を与えることが知られているときは勿論、それが知られていなくても、いやしくも損害が惹起しないように万全の手段を講ずる義務である。だからそれは、或者のなさんとする行為が通常人の弁識力ある者ならば損害を惹起することが予見できるにもかかわらず、その行為者がそれを予見しなかつたために損害防止の手段を講じなかつた場合のみならず、いやしくも通常人の弁識力を有する者ならばその者の為さんとする行為は損害を惹起するかも知れないというおそれがある場合に、行為者が損害防止（回避）のため万全の手段を講じない場合にも、その結果損害が惹起したときは、行為者に過失ありとされるのである。それは、たとえその場合、行為者がその損害が惹起しないと確信していたとしても、それによつて過失がなかつたとはみとめられない。ただしその防止の手段は社会一般の観念から行為者に対して当然にそれをなすことが期待されていると判断される程度のものである。だから注意義務違反は、また、行為者に対する社会の期待に行為者が違背することである。

かような社会の期待は、実際には個々人の弁識能力に応じて異るのが各個々人にとつて最も公平であるとみられるが、法の非難の標準は原則として客観的標準によらねばならないから、その場合、標準的な弁識力ある者（標準人）を想定して、その期待の程度即ち注意義務の程度を客観的抽象的に定めている。民法において所謂善良なる管理者の注意というのはこれである。したがつてこの注意義務に違反する場合に過失ありとされるのである。だからこの場合、過失の有無は抽象的な規準によつて判断されるので、かかる過失を通常抽象的過失という。これに対して、法が帰責にあたり特に個々の具体的個人の弁識力を規準にして注意義務をみとめ、これに違反する場合に過失ありとみとめる場合は、その過失を具体的過失という。そしてこれら二つの過失は、程度の重い過失、すなわち何人も極めて容易に予見することのできる行為の結果すらも予見せずして敢てその行為をした場合の注意義務違反を重過失と称するのに対して、軽過失と称され、それぞれ抽象的軽過失、具体的軽過失とよばれる。ただし不法行為責任については、失火責任の場合のように特別の定めのない限りは抽象的軽過失をもつて責任帰属の判断の規準とする。しかしながら抽象的軽過失の存否は抽象的一般的な判断の規準によるとはいえ、その判断の基礎となる標準人は純然たる抽象的一般平均人ではなくて、例えば特定の職業における一般的標準人というように、その行為者の社会的存在者としての特性によつて、その有する弁識力を異にするものとして定型化して把えられねばならぬ。社会は医師に期待することを一般人に期待しない。だから医師は医師として、運転手は運転手として、それぞれ異る内容の注意を払うことが期待され、注意義務がみとめられるのである。それ故にまた社会生活の進展にともない、社会が期待する注意の内容程度が異つてくるにしたがい、この注意義務もまた異つてくるのである。

そこに過失の内容の変遷がある。また加害者の損害惹起に被害者の過失が協力する場合があるが、社会生活が複雑になればなる程、損害の惹起はひとり加害者、債務者のみが注意を払うことによつては到底避けることが困難になり、被害者、債権者もその防止に協力すべきことが益々期待されざるを得なくなる。そこで被害者、債権者についても注意義務の違反の責任ということが益々考慮されねばならなくなる。勿論被害者は自己自身の蒙る損害を防止することを社会から期待されるという注意義務なるものは存しないともいえる。だが被害者が不注意によつて損害を蒙つたことによつて加害者に賠償責任が帰属する場合には、何人も自己自身に対する損害防止の注意義務はないとしても、加害者に徒に責任を負担せしめ、また責任を加重せしめることを避けるべき注意義務があるとみなければならぬ。ここに被害者または債権者の過失があり、その場合に加害者または債務者に過失があるときは所謂過失相殺となる（【126】参照）。

本稿においては、民事責任上の過失について、特に責任成立の一般的要件としての過失のみについて、判例を中心として述べることとする。

二　過失の成立要件

今日一般に学説並に判例からみると、過失の成立要件は大体次のように述べることができる。即ち、過失があるためには、行為者が不注意によつて予期しない違法の結果を他人の法益の上に発生せしめることを要する。これを分説すれば次のようになる。

一　第一に、「違法の結果の発生」が、不注意によつて行為者において予期しなかつたこと。

「違法の結果」は民事責任においては、実質的には被害者の法益の侵害である。換言すれば、法が賠償せしめるに価するとみとめる程度の法益の侵害、損害の惹起である。かような損害を伴わない限り不法行為は成立しないが、債務不履行においては、不履行そのものも、勿論違法の結果ともいえるが、損害を伴わない債務不履行は民事責任発生の原因とならないから、責任帰属原因としての過失の有無の問題にとつて無関係である。だから過失の成立要件という問題からみれば、不法行為も債務不履行も違法の結果（損害）の発生の方法（形式）の差異に帰着する（これに関する判例は本稿では省略する。）。

二　第二に、「不注意」によつて違法の結果の発生を予期しなかつたこと。

即ち過失が存在するとみられる場合については、次の三つの場合に分つて考えることができる。（A）違法の結果の発生することを予見すべきにかかわらず予見しなかつたために、それを防止する行為をしなかつた場合。（B）違法の結果の発生を予見し、その防止行為をなすに当つて、かかる行為によつては損害発生が防止できないと判断すべきにかかわらず、これによつて防止できると信じてその行為をなした場合、（C）違法の結果の発生の可能性が存在することを知りながら、漫然損害が惹起しないと信じて適当の防止行為をしなかつた場合である。これら三つの場合に、違法な結果が発生した場合には、行為者に過失があるとみとめられるのである。

（A）第一の場合については、取引社会において、通常人の弁識力をもつてすれば違法の結果の発生することが予見でき、したがつて損害防止行為をなすべき筈であるにもかかわらず予見しなかつたために防止行為をしなかつた点に注意義務の違反即ち過失があるとみとめられるのである。したがつて、原則としては、特別の弁識力を有する場合にのみ予見することのできる違法の結果の発生を予見しなかつたために防止行為をしなかつても、過失ありとはいえない。だから社会一般生活上普通一般人に期待される注意を払わない場合に過失があるのである。この点に関して不法行為について【8】乃至【12】及び【14】、また債務不履行について【13】の判例がある。更に注意を怠らなかつたとみとめられた判例には、不法行為については【15】乃至【26】【32】があり、債務不履行については【27】乃至【31】がある。また注意を怠り過失があるとみとめられた判例は不法行為については【33】乃至【66】があり、債務不履行については【67】乃至【70】がある。

【8】　「不法行為ヲ構成スヘキ過失トハ疎虞若クハ懈怠ニ因リ法律上必要トセル注意又ハ社会ノ共同生存上正当ナル慣習法ノ要求セル注意ヲ為ササルコトヲ指称セルモノナルニ……」（大阪控判大五・九・二八新聞一一八二・二一）

【9】　「凡ソ不法行為ノ原因タル過失ハ通常吾人ノ注意力ノ及フヘキ範囲ニ限定セラルヘキモノナルカ故ニ縦令或事実ノ発生ニ付キ原因力ヲ与エタル場合ト雖モ其事実ノ発生カ通常吾人ノ予見シ得ヘキ事項ニシテ而モ之ヲ予見セサリシ場合ニ非サレハ不法行為ノ責任ヲ負フヘキ過失アリト云フヲ得ス而シテ本件ニ於テ原告ノ主張シタル事実ニ依レハ被告カ官庁ノ許可ヲ得スシテ軌道ヲ敷設シタルハ即チ不法行為ノ責任ヲ負フヘキ過失ナリト云フニ在レトモ軌道ノ敷設ハ其許可ヲ受クヘキ場合ナルト否トヲ問ハス其敷設ニ因リテ通常殺人ノ結果ヲ伴フモノニアラスシテ其軌道使用ノ際ニ於ケル注意ノ欠缺ニ依リ始メテ本件ノ如キ危害ヲ生スルモノナレハ許可ヲ得スシテ軌道ヲ敷設シタリトノ一事ハ未タ以テ本件ノ如キ危害ノ発生ヲ予見シ得ヘキモノニアラスト認ム」（札幌地判明四二・一・二六新聞五五二・一二）。

【10】「民法は不法行為ノ規定ニ於テ過失ノ有無ヲ定ムヘキ注意ノ程度ヲ明示セサルモ其精神ハ何人ニ対シテモ普通注意ヲ用ユル人カ事物ノ状況ニ応シテ通常為スヘキ注意ヲ要求スルニ止マリ其程度ヲ超ユル注意ヲ以テ責ムルモノニ非スト解スルヲ当然トス故ニ苟モ其程度ニ相当スル注意ヲ怠ラサル場合ニ於テハ仮令其程度ヲ超エ一層周到ナル注意ヲ尽サハ損害ノ発生ヲ防止スルコトヲ得ヘカリシトキト雖モ過失ノ責ナキモノトス」(大判明四四・一一・一 民録一七・六一七)。

【11】「原判決ハ本件松樹ノ生立個所カ被上告人ノ所有地内ナリシ事実並上告人カ右立木ニ付何等権利ナキニ拘ラス擅ニ之ヲ伐採シタル事実ヲ認メ以テ直に上告人ニ不法行為者トシテノ損害賠償責任アルコトヲ断定シ右立木伐採カ上告人ノ故意又ハ過失ニ因リテ行ハレタルヤ否ヤノ点ニ付判示スル所ナシ元来他人ノ所有物ヲ滅失毀損シ以テ所有権ヲ侵害シタリトスルモ加害者ニシテ故意若ハ過失ニ因リテ為シタルニ非サル以上ハ不法行為者トシテ損害賠償ノ責任ヲ負ハシムルヲ得サルハ云フ迄モナキ所ニシテ上告人カ原審ニ於テ本件立木生立ノ個所カ生保村字山居百三十六番ニシテ官有地ニ属スト主張セルハ蓋右立木生立ノ場処カ官有地ニシテ同人カ官庁ヨリ予約開墾地トシテ引渡ヲ受ケタル範囲ニ属スルコトヲ意味スルモノニシテ即該場処ニ生立セシ本件立木ハ之ヲ伐採シ得ヘキモノト信シタルコトヲ主張セルモノナレハ原審ハ右伐採ノ個所カ官有地ニ非スシテ被上告人ノ所有地ニ係ルコトヲ認定スルトモ更ニ上告人カ初ヨリ被上告人ノ所有地内タルコトヲ知リ乍ラ伐採シタルカ若ハ相当ノ注意ヲ用キナハ被上告人ノ所有地内タルコトヲ知リ得ヘキニ拘ラス注意ヲ為サス軽々シク開墾地トシテ官庁ヨリ引渡ヲ受ケタル官有地ノ一部ト誤信シテ立木ヲ伐採シタルカノ事実ヲ認定スルニ非サレハ上告人ニ対シ不法行為者トシテノ責任ヲ負ハシムルヲ得サル理ナリ然ルニ原判決ハ此ノ点ニ付何等判断ヲ加ヘス直ニ上告人ニ損害賠償責任ヲ負ハシメタルハ違法ニシテ本論旨理由アリ」(大判大一四・五・九 新聞二四一九・一八)。

【12】「本訴ハ一面ニ於テ上告人ノ不法行為ヲ原因トシテ被上告人ノ被リタル損害ノ賠償ヲ求ムルモノナル

コト原判文上明白ナルカ故ニ右賠償義務ヲ肯認セントセハ上告人ニ権利侵害ニ対スル故意又ハ過失アリタル否ノ点ニ付亦審理判断ヲ加フヘキ筋合ナルニ拘ラス原審ハ此点ニ付何等首肯スルニ足ル説明ヲ与フルコトナク漫然……」(大判昭九・一二・一二 裁判例(八)民三二五)。

【13】「特定物ヲ保管スルニ付キ善良ナル管理者ノ注意ヲ加フヘキ責任アル場合ニ在テハ抽象的ニ普通人カ其物ヲ保管スルニ該リ普通ニ加フヘキ注意ヲ以テ其滅失毀損紛失又ハ盗奪ヲ予防セサルヘカラス（中略）貴金属類ノ如キハ（中略）他人ヲシテ容易ニ奪取スルヲ得サル方法ヲ講スヘキハ普通人カ普通ニ加フヘキ注意ナリトス」(長崎控判明四〇・四・八 新聞四二五・七)。

【14】「上告人カ被上告人ノ所有ニ属スル係争立木ヲ伐採シタルコトヲ以テ過失ニ因リ被上告人ノ所有権ヲ侵害シタルモノト為スニハ立木カ被上告人ノ所有ニ属スル客観的事実ノ存スルノミヲ以テ足レリトセス上告人カ注意ヲ欠キタルニ因リ之ヲ知ラサリシコトヲ要スルカ故ニ立木ノ伐採ニ付上告人ニ過失アリト認ムルニハ如何ナル注意ヲ為スコトヲ要セシニ之ヲ欠キタルカヲ現実ノ事情ニ照シテ具体的ニ説示セサルヘカラス蓋上告人カ……立木ノ所有権自己ニ在リト誤信スルヲ正当トスヘキ事情アリテ誤信ヲ避クヘキ注意ヲ用ユルノ責ヲ帰スヘカラサル場合ニ於テハ過失アリト為スヲ得サレハナリ」(大判大一三・三・二九 新聞二二六二・一五)。

【15】要旨「県の直営工事をする者が、県の指示を信じ、岩石をくだいて選び出すことについて土地所有者の承諾があるものと誤信した場合、なんら調査をしなかつたとしても過失はない」(大判昭一七・四・一四 法学一二・六〇)。

【16】要旨「山村の買受人が隣地の立木を採伐しても、案内人に聞き合わせ一々地域の指示を受けたのに、他人の所有地であることを知り得なかつた場合には、過失がないと認定してよい」(東京控判明四一・一一・一〇 最近判例三・一三七)

【17】要旨「乙が立木を甲から譲り受けて公示方法を終らない間に、第二の買主丙が引渡を受けた場合、甲乙間の契約解除がない限り、または乙が丙の対抗要件具備を知らないかぎり、乙が立木を自分の物と信じて伐採しても反証のないかぎり、過失があるとはいえない」(大判昭九・一二・一二 裁判例(八)民二八七)。

【18】　要旨「審判官でさえ前後見解を異にするような改訂特許に反する機械を製作販売しても、故意過失があるとはいえない」（東京控判大元・一〇・二五 新聞八二八・二二）。

【19】　要旨「被告が甲の不動産を勝手に乙に売却し、丙丁と移転して丁が原告のため担保権を設定したところ、丁および保証人の無資力と丁の所有権取得の無効に基づく担保権の無効とによつて原告が損害を被つた場合、その損害は被告の不法行為から当然生ずべきものでないから、被告は結果に対して故意または過失あるとはいえない」（朝高院判大五・六・三〇 新聞一一五七・二七）。

【20】　要旨「登記簿記載の誤のために土地家屋の競落人が他人の土地所有権を侵害する結果となつた場合でも、そのことだけで直ちに故意過失があるとはいえない」（大判昭一二・二・九 判決全集五・五・一四）。

【21】　要旨「乙が甲から買い受けた立木を丙に売却し、三者合意の上代金は丙から甲に交付した場合、丙から甲の権利について調査しないで代金を交付しても、乙の立会と承諾の下になされた以上、丙は乙に対して過失の責を負わない」（大判昭一七・一〇・六 法学一二・三二五）。

【22】　要旨「単に借金の依頼状を発したにすぎない者は、これが不正に利用され、他人に損害を生じた場合にも、過失の責任はない」（名古屋控判明四一・四・二二 最近判二・一一四）。

【23】　要旨「賃借人の家屋改築許可申請書に賃貸人の無権代理人が承諾の記名捺印したこと、および、敷地所有者本人の承諾のないことを指摘して、賃貸人が不許可を要請した結果、申請者が損害を被つたとしても賃貸人に故意過失はない」（東京高判昭二八・六・五 下級民集四・六・八〇八）。

【24】　要旨「土地の賃借人甲が地上建物を無断で譲渡したときは賃貸人乙が解除し得る旨の特約ある賃貸借において、甲が湯屋営業権譲渡の手段として一時建物を第三者に譲渡した場合、乙の解除の効力を甲が争つて敗訴したとしても、敗訴まで土地明渡の要求に応じなかつたことについて故意過失があるとはいえない」（東京地判昭一六・九・二四評論三一・民一七三）。

【25】 要旨「質権者が流質契約に基づいて質権の目的物を処分した場合、質権設定者において質権者の故意過失を証明しない以上、質権者の行為は処分して得た代金を弁済に充当する正当の権利があると信じて行つた善意の行為であるとの推定をうける」（大阪地判明四一・九・二二新聞五四三・一二）。

【26】「ウール羅紗ナルモノハ金巾ニ油ヲ主成分トセル塗料ヲ塗布シ之ニ古羅紗若クハ新シキ羅紗ノ裁断屑ノ粉末ニナシタルモノヲ振リ掛ケテ粘着セシメタルモノニテ一見普通ノ羅紗ノ如キ外観ヲ呈セルモノナルカ右塗料ノ乾燥安全ナラサルトキハ稀ニハ自然発火スルノ虞アルモノナレハ鉄道院ニ於テモ大正四年四月ニ至リ院議ニ依リウール羅紗ハ大正元年九月鉄道院告示第十三号鉄道院大貨物等級及運賃表ノ級外品第二種危険品中ノ油布ニ準シテ取扱フコトニ決定シタルコトヲ認メ得レトモ被控訴人カウール羅紗カ自然発火ノ慮アル危険品ナルコト且ツ鉄道院ニ於テ危険品トシテ運送ノ委託ニ応シ居タルモノナルコトヲ知リ居リタリト認ムヘキ証拠ナキノミナラス（中略）ウール羅紗ノ自然発火セシコトハ従来其実例尠ク一般世人ハ勿論運送業ニ関係スル者ニテモ大多数ハ其自然発火ノ虞アル危険性ヲ知ラサル程ニテ被控訴人ノ如キハ綿布及ヒ船具商ニシテ従来未タ曽テウール羅紗ノ取扱ヲ為シタルコトナク東京市ノ取引先ノ注文ニヨリ始メテ本件ノウール羅紗ヲ大阪ニテ買付ケタルモノニシテ控訴人ニ本件運送取扱ノ委託ノ際ニハウール羅紗ノ危険ナルコト及ヒ鉄道院ニ於テ危険品トシテ取扱ヒ居レルコトヲ知ラサリシモノト認メ得ルト同時ニ之ヲ知ラサルコトニ就テ何等ノ過失モナカリシモノト認ムルニ十分ナリ」（大阪控判大八・六・二三新聞一五九一・一四）。

【27】 要旨「生繭の売主が引渡までの間それを保存するため、之を乾燥して乾燥繭としたことは当然で善良なる管理者の注意義務をはたしたものである」（大判大七・七・三一民録二四・一五五五）。

【28】 要旨「登録名義人たる権利の売主が特許料あるいは登録料の納付催告書をその都度買主に送付し遅滞なく料金を納付しなければ権利を喪失すべき旨忠告をしていたときは、権利保存のため必要な注意義務を尽したものである」（東京地判昭一三・三・三〇新聞四二七三・一五）。

【29】要旨「同一の株式について二個の競売が行われともに株式名義書換を求められた会社は、そのいずれが真実なるかを判断できない限りただちにそれに応じなくても債務不履行の責任はない」（東京地判明四〇・六・一三新聞四四〇・三）。

【30】要旨「金一万五百円の支払期日が切迫してからそれが日曜日に当ることが判明した場合において、債権者の方から反対の意思表示がない場合には、その翌日に支払をしても履行遅滞について債務者に故意過失があるとはいえない」（大阪地判昭五・一〇・三〇評論二〇・民七一）。

【31】要旨「あいついで二個の取引をした場合において第一の取引について売主が目的物を引渡したにかかわらず買主が代金を支払わないときは、第二の取引について売主が目的物を引渡さなくても売主には履行遅滞の責任はない」（東京控判昭六・一一・一七新聞三三四七・一二）。

【32】要旨「公選による公務員の犯罪性を帯びた行為のごときは、民主主義社会において報道機関はこれを公衆の批判に訴える責務があるから該事実があると信ずるにつき相当の理由がある場合は、たとい結果的にみて真実に符合しなかつたとしても、不法行為とはならない」（広島高判昭二九・一〇・一四高裁民集七・一一・八八五）。

【33】要旨「他人の立木を自分の所有物として売却し、その買主が伐採したときは、売主の過失で人他の権利を侵害したものである」（大判大八・一〇・三民録二五・一七三七）。

【34】要旨「山林の買主が売主の所有および占有に属する部分をも買い受けた山林の一部として転売し転買人が売主の現に占有する立木を伐採した以上、買主・転買人は少くとも過失の責を負うべきである」（大判昭一七・一二・二六法学一二・四三二）。

【35】要旨「電話加入名義者甲の姉乙が甲の印章を冒用して丙の名義に書換え、丙がさらに丁に譲渡して甲の電話機が取はずされた場合には、通常の状態では乙がかような重大な権限を有することはないのが適例であるから、丙は乙の権限を信じたとしても過失の責を免れない」（東京地判大八・一二・一九評論八民一五〇三）。

【36】要旨「原告のための仮登記のある不動産を買受けて登記を経、不動産を使用する被告が、買受けに際

し、登記簿を調べず、また使用を始めた当時すでに登記抹消請求を含む本訴が提起されていたときは、自分に権利があると信じたことについて過失がある」（東京地判昭三〇・六・三〇下級民集六・六・一二五三）。

【37】　要旨「借地の上の建物を譲り受けた者が賃借権の譲渡について土地所有者の承諾を得ることができなかつた場合、譲受人は特別の事情のない限り土地所有権の侵害について過失がないとはいえない」（大判昭一四・八・二四民集一八・八七七）。

【38】　要旨「売主が売買を承諾したという周旋業者の言を盲信して売買契約が成立したものと考えて、その者の代理権の有無を調査せず直ちに目的物を処分するが如きは買主に過失がある」（大判大七・一二・二七民録二四・二四四九）。

【39】　要旨「賃貸人が土地を第三者に譲渡する際に借地権を侵害しない処置を採らなかつたために賃借人から有効に転借した転借人の権利をも害したときは故意または過失によつてその転借権を侵害したものというべきである」（東京地判昭五・一二・二七新聞三二二二・一四）。同趣旨（東京控判昭一二・一一・三〇新聞四一一九・一二）。

【40】　要旨「賃貸人が、とうふ、油揚の製造人である借家人の意見も徴せず無断でその製造設備について、かかる特殊の知識経験をもたぬ大工に修繕工事をさせた結果損害を惹起したのは過失である」（東京地判昭一二・六・一四新聞四一五八・一四）。

【41】　要旨「賃貸借が終了してもはや占拠すべき権原がないのに賃借人がなお占拠するのは反証のない限り、その過失である」（大判大一〇・五・三民録二七・八四四）。

【42】　要旨「賃借人が賃貸借終了後家屋を収去しないのは故意過失によつて土地所有権を侵害するものである」（東京控判昭四・七・四評論一九・諸法四二）。

【43】　要旨「銀行員が多額の行金を交換の帰途電車を利用すること自体には過失はないが、遺失するのは重大な過失である」（東京地判大六(ワ)八六三評論七・民三八三）。

【44】　要旨「他人名義の通帳を保管中、預金を引出して費消した以上、それを実際は自己の先代のものであ

つたと信じていたとしても過失がある」（大判大三・一二・二五民録二〇・一一九三）。

【45】 要旨「質権者が第三者の所有権の主張を信じて質物を引渡し、その物件の所在が不明となつた場合は第三者が引渡要求をした際巡査と同行したとしても、そのことによつて質権者に過失がないとはいえない」（東京地判大一二・三・一〇評論一二・民二〇〇）。

【46】 要旨「長期の消費貸借であるのに担保権者が数日後に無権代理人から弁済を受領して同人に担保株式を返還し、その際代理権の存否を調査しなかつたのは、担保権者の過失である」（大判昭五・六・三裁判例(四)民六六）。

【47】 要旨「発火性の物品を普通品として運送業者に委託するのは重大な過失である」（大阪控判明四〇・一〇・三〇最近判例一・一六八）。

【48】 要旨「化学薬品販売業者が危険薬品の運送依頼に際して危険品であることを告げなかつたのは、輸送中の発火について過失がある」（東京地判昭二八・一二・一二下級民集四・一二・一八六六）。

【49】 要旨「無権限で他人の所有地に建物を所有する者は、その敷地を占有する権限があると信ずべき特殊の事情の認められない以上、土地所有権を侵害するについて少くとも過失があるものと認めなければならない」（東京控判昭四・四・四評論一九・民訴一六五）。

【50】 要旨「仮処分によつて土地を占拠しても基本権利が不存在の場合はその占拠につき過失がある」（東京地判昭五・五・二七新聞三一三八・九）。

【51】 要旨「土地の占有者は敗訴の第一審判決の送達を受けた日以後は不法占有につき故意過失がある」（東京控判昭八・一二・五評論二三・民三一二）。

【52】 要旨「実地に境界を指示されないで山林を買つた者が、隣地の立木を伐採したのは十分に境界を探求しなかつた過失があると推定すべきである」（東京控判明四二・七・一新聞六〇一・一〇）。

【53】 要旨「他人の所有山林で勝手に伐採したときは一応その伐採が故意過失に出たとの推定をうける」

(大判大七・二・二五民録二四・二八二)。

【54】　要旨「利害関係のない者が他人の樹木を伐採したという事実があれば、一般に故意過失があると推断すべきである」(大判大九・四・八民録二六・四八二)。

【55】　要旨「村長から無権限を理由に立木の伐採並に搬出の中止を求められたにもかかわらず、その所有権の所在につき相当の調査をしないで伐木の搬出販売を続行し、所有者に損害を被らしめたのは過失がある」(大判昭三・七・四評論一八・民八六)。

【56】　要旨「甲の家屋の敷地を含む乙所有地につき乙が家屋取りこわし、地ならしの工事を丙に請負わせ、醜悪なトタン塀を甲の通路に設けるに至らせ、家屋の使用価値を減損させたのは乙の過失である」(東京控判昭一〇・九・三〇新聞三九三一・七)。

【57】　「(被控訴人広島市が夏の間昼夜無休でなす)本件機械(喞筒)ノ運転カ不絶之レニ接近セル控訴人ノ所有地所及建物ニ激烈ナル音響ヲ伴ヘル震動ヲ伝ヘ為メニ或ハ地盤ノ一部ニ亀裂ヲ生シ又ハ家屋ノ各戸口ニ間隙ヲ生シ壁ヲ落シ瓦ラ垂下セシムル等ノ影響ヲ与ヘツツアルコトヲ認ムヘク之ヲ原状ニ回復センニハ相当ノ費用ヲ要スルコトハ田部才蔵ノ鑑定書ニ依リテ之ヲ認ムヘク仮ニ一旦相当ノ費用ヲ以テ之ヲ原状ニ復スルモ右機械ノ運転ニシテ継続セハ再ヒ同一ノ結果ヲ来スヘキハ固ヨリ論ヲ俟タサル所ナレハ本件機械ノ運転カ控訴人ノ地所建物ニ対スル所有権ヲ侵害シ其結果財産上ノ損害ヲ生セシメタル事実ハ之ヲ認メサルヲ得ス而シテ右機械ノ運転カ此ノ如キ結果ヲ生スルコトハ通常予想シ得ヘキコトナレハ仮ニ之ヲ予想セスシテ侵害行為ヲ継続シタリトスルモ少クトモ過失ニヨリテ他人ノ権利ヲ侵害シタルモノト云フヘク之ニ因リテ生シタル損害ヲ賠償スヘキ義務アルヤ勿論ナリ」(広島控判大七・一〇・一九新聞一四七九・二四)。

【58】　要旨「自分の所有地内に工作物を築造する者が築造の必要性もなくまた他に築造すべき空地があるに

もかかわらず、境界線から一尺三寸の地点に隣地の呼吸器病、結核病舎の通風採光を妨げる設備をするのは、その病舎の所有権行使および治療業務を妨害する故意に出たものである」（安濃津地判大一五・八・一〇新聞二六四八・一一）。

【59】 要旨「履行補助者の詐欺行為によつて質物の占有を取得した所有者は、不法行為によつて消滅した質権を復活させる義務を負うから、事情を知りまたは知りうべきであるのに返さないのは、故意または少くとも過失によつて質権者の回復期待権を妨害した者といえる」（東京地判昭二六・一一・一三・高裁民集六・一〇・六四一、下級民集二・一一・一三〇六）。

【60】 要旨「露天掘以外の方法によれば、他人の鉱業権の目的の掘採を避けることができるのに、露天掘の方法によつたときは故意過失がある」（大判昭一六・九・一六新聞四七三二・五）。

【61】 要旨「同一営業に従事する者が他人の登録商標を使用したときは、不注意によつて商標権を侵害したといえる」（東京地判明四三・一〇・二五新聞六八〇・一四）。

【62】 要旨「実用新案公報に公示された事項は一般公衆が知つたものと推定されるから、これを知らないときは相当の理由のあることを主張しないかぎり過失の責を負わなければならない」（大判大四・六・一六刑録二一・八二一）。これに対してはそれ以前に反対の民事判例がある（仙台地判大三・八・一〇評論三・民五四六）。

【63】 要旨「登録実用新案権については公報に公示されるから、他人の注文によつて製造したとしても故意過失の推定を免れない」（大阪控判昭一一・九・二五新聞四〇五〇・一五）。

【64】 要旨「他人の染色意匠権を無断使用して第三者に染色させた場合、かつて無断使用して宥恕を求めた事実、意匠権者に染色を注文したことのある事実がある以上、意匠権侵害につき過失があるといえる」（東京地判昭二九・三・六下級民集五・三・三〇四）

【65】 要旨「甲が乙の言を信じて丙に金銭を貸し、乙から抵当権の順位を譲り受けて抵当権を取得したところ、その抵当物件は現実に存在していないことが判明した場合には、特別の事情の存しない限り、甲の誤信について乙に少くとも過失があるものと認めるべきである」（大判大一三・一〇・二新聞二三三三・一七）。

【66】要旨「賃借権の侵害が不法行為となるには特に賃借権者に損害を与える意欲のあることを要しないから、第三者の賃貸人に対する履行遅滞の結果、賃借人が賃貸人からの履行を受けることができなくなつた場合は、第三者の遅滞は賃借人に対する不法行為となる」（大判昭一六・七・一七法学一一・一八三）。

【67】要旨「売買の目的物たる榑木を売主が競売に附せられるまで地上に積み風雨に曝したのは保存のため善良なる管理者の注意を尽さないものである」（東京控判大一五・一・二八評論一五・民八〇〇）。

【68】要旨「ある建物が浴場と密接して建てられほとんど同一体となつている場合において、その建物について保管義務ある者は浴場を管理するについても同様の注意をもつてすべきで、これを怠り浴場から火を失して該建物を焼失したときは、その責を負わねばならない」（東京控判昭一七・二・一六新聞四七八〇・五）。

【69】要旨「地主が借地人のある借地を借地人の意向を徴しないで他人に使用させたときは、たとえそれが震災直後の社会状態のもとにやむを得ず一時使用を許したにすぎない場合であつても、債務不履行について地主に故意過失がないとはいえない」（東京地判大一五・五・二七評論一五・民一一九〇）。

【70】要旨「宅地の売主が買主との間に、宅地の上にある他人所有の家屋に対する特別都市計画法による移転命令があつたときは、ただちにこれを収去して更地として買主に引渡すべき旨約した場合において、売主が移転命令が発せられたにもかかわらずその後数ケ月の久しきにわたり約旨を履行しなかつたときは、売主は故意過失がなかつたことを立証しない限り不履行の責を免れない」（大判昭一六・九・九民集二〇・一一三七）。

更に判例は履行不能の場合について、特に過失の有無についてではなく、広く「責に帰すべき事由」について判示しているが、それがあるとするものに【71】乃至【76】、それがないとするものに【77】乃至【86】がある。なお履行遅滞後はその責に帰すべからざる事由によって履行不能となつた場合でも債務者は不履行の責に任じなければならぬ【87】。だから遅滞後においては不可抗力により給付の目的物が滅失しても直ちに債務者に責任がないとはいえないのであつて、ただ正当の時期に於て給付を為し、その目的物が債権者の手にあつても尚ほ滅失すべきものであつたことを証明した場合に限って免責される【88】。これとほぼ同趣旨のものに【89】・【90】・【91】の判例がある。

【71】 要旨「買戻約款附で建物等を売却したが引続きこれを使用することを買主から黙許されていた地主が買戻をしないで建物等を取り払つたときは、その責に帰すべき事由により売買契約は履行不能となつたものである」（東京地判明四一(ワ)三九八号新聞五三六・一六）。

【72】 要旨「賃貸借契約終了後債務者の租税滞納により賃借物が競売に付せられ返還不能となつたときは、債務者の責に帰すべき事由により不能となつたものである」（大判昭三・一〇・四評論一七・民一一九九）。

【73】 要旨「債務者が債務を弁済して抵当権の消滅を図らなかつたため、抵当権が実行されて競落人が建物の所有権を取得したときは債務者の建物除去義務はその責に帰すべき事由により履行不能となつたものである」（東京控判昭一三・一一・二八評論二八・民五一一）。

【74】 要旨「家屋の建築請負人が債務の履行を遅滞したので注文者が請負人を差しおいて第三者をして建築に着手させ、そのため請負人が債務を履行することができなくなつたとき、履行不能は請負人の責に帰すべき事由に基くものである」（大判昭二・二・二六新聞二六八〇・一四）。

【75】 要旨「無免許の営業の継続を官庁の命令によつて断念した場合には特段の事情がない限り、既往の契約は営業者の責に帰すべき事由により履行不能となつたものである」（大判昭三・一〇・四評論一七・民一一九九）。

【76】 要旨「土地の賃貸借契約は成立したが、賃借権が対抗力を具えていなかつた場合に、賃貸人がその土

地所有権を第三者に譲渡したときは賃貸人の賃借人に対する土地引渡債務は賃貸人の責に帰すべき事由により履行不能となつたものである」（札幌高判昭二七・一一・一一高裁民集五・一一・一一）。

【77】要旨「債権者の行為により契約の目的が消滅し履行をする必要がなくなつたときは、債権者の責に帰すべき事由により債務が履行不能となつたと認めるべきである」（東京控判大六・六・三〇新聞一三二一・二五）。

【78】要旨「定款の規定上株式の名義書換が不能となつても、譲渡人が名義書換の妨害行為をしたものでない限り、譲渡人の責に帰すべき事由により履行不能となつたものとはいえない」（大阪控判大八・四・三〇新聞一五五〇・一九）。

【79】要旨「当事者が刑事被告事件で拘禁されたため取引が実現するに至らなかつたときは、当事者の責に帰すべき事由によるものではない」（東京控判大八・一二・一二六新聞一六六七・一九）。

【80】要旨「債権者が器具を差押えたため物品の供給ができないときは、履行不能は債務者の責に帰すべき事由によるものではない」（大判大九・四・五民録二六・四三五）。

【81】要旨「売主の使用人が山林中で火を失したため、売買の目的物たる立木等を滅失毀損した場合において使用人がその生活上山林中において火を用いる必要が毫も存しなかつた事実を確定しないで、売主が使用人に対し山林中において火を用いることを禁止しなかつたことをもつて売主に監督上過失があると断定したのは不法である」（大判大一〇・八・一〇民録二七・一四四〇）。

【82】要旨「自己の債務不履行が自己に対する第三者の債務の不可抗力による履行不能の結果にほかならないときは、その責に帰すべからざる事由によつて履行不能となつたものである」（大判大一三・三・一四新聞二二四七・二二）。

【83】要旨「訴訟当事者の一方が仮処分の申請をしその命令実施の結果他人に対し契約上の義務を履行できなくなつたとしてもそれは故意または過失によるものと認めることはできない」（大判大一四・五・二九新聞二四六八・一〇）。

【84】要旨「住宅ならびに工場建設のための土地の賃貸借が市街地建築物法の適用により履行不能となつても、それは当事者の責に帰すべからざる事由によるものである」（大阪地判昭三・七・二六新聞二八九六・九）。

【85】 要旨「土地の賃借希望者が従来の賃借人に賃借継続の意思の有無をただしたところ賃借人はすでに賃借権は消滅したものと誤信していたため、その意思がないとは明言しなかつたが、その態度乃至語振等からしてもはやその意思はないものとみとめ、その旨賃貸人に強調して賃借を申入れた場合に賃貸人が賃借人の真意を確めないで土地を賃借希望者に賃貸しても、賃貸人には従来の賃貸借契約不履行について過失はない」(大判昭一五・九・三〇法学一〇・三一二)。

【86】 要旨「酒造権の譲渡について所属酒造組合および酒造組合連合会の承認を有効要件とする場合に、連合会が承認しないため譲渡義務の履行が不能となつたときは、不履行は譲渡人の責に帰すべからざる事由によつて生じたものである」(大判昭一八・五・五法学一二・九九一)。

【87】 要旨「債務者が契約の履行を怠つた以上その後その責に帰すべからざる事由によつて履行不能となつても不履行の責を免れない」(大判明三九・一〇・二九民録一二・一三五八)。

【88】 「已ニ遅滞後ニアツテハ火災等ノ不可抗力ニ因リ給付ノ目的タル特定物滅失セリト雖トモ直チニ何等ノ責ナキニ至リシ者ト速断スルヲ得ス唯正当ノ時期ニ於テ給付ヲ為シ其目的物カ債権者ノ手ニアルモ尚ホ滅失スヘキモノナリシコトヲ証明シタル場合ニ限リ其責ヲ免ルルコトヲ得是レ畢竟遅滞ノタメ損害ヲ生セシモノト謂フヲ能ハサレハナリ然ラサル場合ハ仮令不可抗力ノ為メ滅失スルモ其責ヲ免ルルコト能ハス何ントナレハ遅滞ナク速カニ給付ヲナシ其目的物カ債権者ノ手ニ移ラハ滅失セサリシモノト謂フヲ得ヘケレハナリ」(東京控判明四五(ネ)二三号新聞八二五・一九)。

【89】 「被告ノ右履行遅滞中偶々同年九月一日ノ大震災ニ際シ右貨物ハ大部分暴徒の掠奪ニ遭ヒ滅失シ為メニ多大ノ損害ヲ蒙リタル旨主張シ右掠奪ニ依ル滅失毀損ノ如キハ不可抗力ニ依ルモノト称スヘキモ之カ債務ノ履行遅滞ノ間ニ生シタルモノナラハ因ヨリ債務者タル被告ニ於テ其責ニ任セセサルヘカラサルコト言ヲ俟タサルトコロナリ」(東京地判昭三・六・一四評論八・民四九六)。

【90】　要旨「債務者は遅滞の間に生じた損害については履行期に履行をしてもなお損害が生ずべきことを立証しない限り損害が不可抗力によつて生じた場合でも賠償の責に任じなければならない」(大判昭八・一〇・二〇裁判例(七)二二八)。

【91】　要旨「履行遅滞後契約が履行不能となつたときは、たとえ履行不能が履行遅滞と相当因果関係に立たず、かつ、これに基く損害を遅滞に基く損害とすることができなくても、債務者は信義誠実の原則に基き債権者に生じた損害を賠償する責任がある」(名古屋地判昭一七・二・二三新聞四七七二・一八)。

以上かかげた判例によつて、社会によつて普通一般人として損害の結果の発生することを予見すべきことが期待される結果、行為者に課せられる注意義務とその違反による過失が何であるかを知ることができるが、前述のようにこの注意義務は、行為者の性質に応じて社会が彼に期待するところが異るに応じておのづから異るものである。即ち医師には医師として妥当な注意を払うことを期待し、運転手には運転手として、また企業家には企業家としての妥当な注意を払うことを期待するに応じては右に所謂標準人は単なる抽象的人間一般としてではなくそれぞれの専門的弁識力あるものとしての一般人を意味するわけである。また違法な行為を適法と誤信したことに過失があるか否かは通常行為者の地位にある者が有すべき法律知識を標準としてその種の行為をするについて取引上必要とする注意を欠いたか否かによる(大判昭一六・三・二六新聞四六九八・二六)。したがつて注意義務違反即ち過失の有無の判断においては、それぞれかような標準人が個々の場合にその規準とされるのである(【92】【93】【94】【95】【96】参照)。しかも特殊な危険な業務に従事する者は、たとい行政上取扱規則または取締規則に違反しないというだけでは無過失とはいえないのであつて、危険発生防止のためのあらゆる注意をなすべき義務があり、これに違反した場合は過失ありとされる(【97】乃至【103】参照)。但し主務官庁が特に必要のないことを明にした措置はこれをとらなくても過失はない(東京控判明四四・一〇・二三新聞七五七・二一)。ところで右についての判例は各種の業務について種々あるが、例えば交通事業については【104】乃至【239】があり、工場事業については【240】乃至【243】、土木工事に関するものとしては【244】乃至【251】、木材取扱に関するものとしては【252】【253】、鉱業に関するものには【254】乃至【260】、電気事業に関するものには【261】乃至【265】、医療薬剤に関するものには【266】乃至【275】、新聞、放送、出版に関するものには【276】乃至【281】、運送営業については【282】乃至【291】、倉庫営業並に寄託に関しては【292】【293】、質屋営業、古物営業については【294】、湯屋営業に関しては【295】、旅館営業に関しては【296】【297】、百貨店に関しては【298】、預金、金融業務に関しては【299】乃至【301】、弁護士の業務に関しては【302】。法人の業務に関しては【303】乃至【312】、学校における懲戒、危険防止については【313】【314】、公務員の職務に関しては前掲【93】の外【315】乃至【322】がある。なお、責任能力ある未成年者は不法行為に関しては成年者と同一の注意義務に服する(大判大四・五・一二民録二一・六九二)。

またこれらの過失ある者の責任は被害者に過失があつたことによつて免れない(大判大一四・一〇・三刑集四・五七〇)。但し判例は被害者もまた通常社会一般から期待される程度の注意を払えば通常損害がないと判断される場合は、被害者が注意をなすことを前提として、加害者としては必要な程度の注意をなす義務はあるが、それ以上に不必要な程度に安全措置をとる必要はないとする(大判大一五・一二・一民集五・八三三、神戸地判昭二・五・二〇新聞二七三四・五、大判昭二・六・七新聞二七〇七・四、長崎控判昭六・二・七新聞三二五五・七、東京控判昭六・一一・一七新聞三三五六・一四、東京地判昭一二・六・一八新聞四一五五・四、長崎控判昭一一・一二・一一新聞四一〇一・一四、東京地判昭一四・一二・一四新聞四五一九・一一、東京地判昭二六・六・一二判タ一五・六五）。更に、実際には、即ち結果からみればそうでないにもかかわらず、たまたま一般標準人の弁識力を以てしては、或事実があることによつて違法な結果が発生すると判断される場合に、それを防止する行為をすること自体は、真実には不必要であり、むしろ不当であり時としては却つて何等かの損害を惹起する結果を伴う場合もあるが、かかる防止行為に出ることが一般に標準人として期待されるものである限り、それを以て注意義務違反即ち過失とすることはできない。

【92】「凡ソ一定ノ業務ニ従事スル者ハ其ノ業務ノ性質ニ照シ危害ヲ防止スル為実験法則上必要ナル一切ノ注意ヲ為スヘキ義務ヲ負担スルモノニシテ法令上明文ナキ場合ト雖此ノ義務ヲ免ルヘキモノニ非ス而シテ機関手ハ所論規程ニ依リ操車係ノ合図アルニ非サレハ機関車ヲ運転スルヲ得サルモ其ノ合図ニ従ヒタレハトテ自ラ前面ヲ注視シ危険ヲ防避スルニ必要ナル注意義務ヲ尽ササル以上ハ自ラ過失ノ責任ヲ免ルヘキモノニ非ス」（大判大一二・三・三一刑集二・二八七）。

【93】要旨「執達吏は職務執行上必要な法規についてはこれを知つていなければならないが、どの程度まで知らなければならぬかの範囲については自ら一定の程度がある。すべての法令中苟も差押に関係あるものは悉く知るべきであるというのは難きを求めるもので、これを知らないことを以て執達吏の過失とすることはできない。醤油税則の如きは特殊の法令であるから執達吏がこれを知らなかつたからといつて過失ありというべきではない。ことに同税則の第十条の如き、規定の表面より見れば直ちに之を以て差押禁止の規定とみられる程の明白な規定でなく僅かにその解釈の結果として造石数査定未済の醤油は其差押を許さない法の精神であることを推認することができるに過ぎないのであるから、これを知らずに造石数査定未済の醤油諸味を差押えても執達吏の過失とはいえない」（大阪控判大七・一一・二四新聞一三六七・二六）。

【94】「控訴人ノ如ク亜硫酸ヲ製造シ銅ヲ製錬スル等化学工業ニ従事スル会社ニ在リテハ其代理人タル取締

役等カ其製造シタル亜硫酸並硫酸瓦斯カ現ニ其設備ヨリ遁逃スルコトヲ知ラサル筈ナク又遁逃シタル是等ノ瓦斯カ附近ノ農作物其他人畜ニ害ヲ及スヘキコトヲ知ラサル筈モナク若シ之ヲ知ラサリトセハ之レ其作業ヨリ生スル結果ニ対スル調査研究ヲ不当ニ怠リタルモノニシテ之ヲ知ラサルニ付キ過失アルモノト認ムルヲ相当トスルカ故ニ控訴人ハ被控訴人ノ右損害ニ付キ不法行為者トシテ賠償ノ責任アルモノトス控訴人ハ硫煙ノ遁逃ヲ防止スルニ付キ今日技術者ノ為シ得ル最善ノ方法ヲ尽セルカ故ニ控訴人ニ責任ナシト論スレトモ控訴人ノ製造シタル硫煙カ被控訴人ノ農作物ヲ害シタル以上ハ其硫煙ノ遁逃ハ控訴人ノ防止スルヲ得サリシモノナルト否トニ拘ハラス被控訴人ノ被害ハ控訴人ノ行為ノ結果ナルカ故ニ控訴人ハ之ニ対シ責任ヲ有スルコトハ多弁ヲ要セス」(大阪控判明四三(ネ)五〇四号新聞一〇四七(大四・一一・一〇)二五)。本判決に於て注目すべき点は無過失責任をみとめた点にあるが、この点については上告審において破毀された【102】参照。なおこれと同趣旨の判例(大阪控判大八・一二・二七新聞一六五九・一一)がある。

【95】要旨「町長兼墓地管理者が墳墓所有者の同意のない無効な改葬許可に基いて改葬した場合、その許可が無効で改葬が職権濫用行為であることを知らなかつたとしても、それは法律の不知にすぎないから、知らなかつたことについて過失があるものとみとめるほかはない」(大阪控判昭一五・六・二八新聞四六一五・三)。

【96】要旨「自動車の保有者は第七一五条の要件を具備したときは自動車運転について賠償義務を負い、動物の占有者のごとき特殊の注意をもつて保管する義務を負うものではない」(大判昭一二・一二・二三評論一七・民六四二)。

【97】要旨「駅長その他の鉄道係員は運転取扱に関する特別の規定のほか、列車の運転に関し危険発生を防止するため・法律上慣習上または条理上必要とする一般の注意義務を厳守することを要する」(大判昭九・六・二二刑集一三・八六四)と

【98】要旨「自動車の運転手は自動車取締令を厳守したからといつて、その注意義務を完全に尽したものとはいえない」(大判昭一一・五・一二刑集一五・六一七)。

【99】要旨「電車運転手は通行人に危険の存することを認識しまたは認識しうべかりしにかかわらずその前進を継続したときには、過失の責がある」(大判大三・三・一一刑録二〇・二七八)

【100】 要旨「家屋の建築ならびに基礎工事について警察の検閲を経たという一事によって、工事施行に関する注意義務を免除されるということはない」（東京地判昭五・四・二三評論一九・民九三一）。

【101】 要旨「建築工事について警察の認可をうけかつ係員の検査を経たからといって、建築工事の施行に過失がなかったとはいえない」（東京地判昭八・一〇・一一新聞三六二八・八）。

【102】 「化学工業ニ従事スル会社其他ノ者カ其目的タル事業ニ因リテ生スルコトアルヘキ損害ヲ予防スルカ為メ右事業ノ性質ニ従ヒ相当ナル設備ヲ施シタル以上ハ偶々他人ニ損害ヲ被ラシメタルモ之ヲ以テ不法行為者トシテ其損害賠償ノ責ニ任セシムルコトヲ得サルモノトス何トナレハ斯ル場合ニ在リテハ右工業ニ従事スル者ニ民法第七百九条ニ所謂故意又ハ過失アリト云フコトヲ得サレハナリ是ヲ以テ原裁判所カ「控訴人（上告人）ノ如ク亜硫酸瓦斯ヲ作リ之ヲ凝縮シテ硫酸ヲ製造シ銅ヲ製煉スル等化学工業ニ従事スル会社ニ在リテハ其代理人タル取締役等カ其製造シタル亜硫酸並硫酸瓦斯カ現ニ其設備ヨリ遁逃スルコトヲ知ラサル筈ナク又遁逃シタル是等ノ瓦斯カ附近ノ農作物其他人畜ニ害ヲ及ホスヘキコトラ知ラサル筈モナク若シ之ヲ知ラサリシトセハ之レ其作業ヨリ生スル結果ニ対スル調査研究ヲ不当ニ怠リタルモノニシテ之ヲ知ラサルニ付過失アルモノト認ムルヲ相当トスルカ故ニ控訴人カ被控訴人ノ右損害ニ付キ不法行為者トシテ賠償ノ責任アルモノトス控訴人ハ硫酸ノ遁逃ヲ防止スルニ付キ今日技術者ノ為シ得ル最善ノ方法ヲ尽セルカ故ニ控訴人ニ責任ナシト論スレトモ控訴人ノ製造シタル硫酸カ被控訴人ノ農作物ヲ害シタル以上ハ其硫煙ノ遁逃ハ控訴人ノ防止スルヲ得サリシモノナルト否トニ拘ラス被控訴人ノ被害ハ控訴人ノ行為ノ結果ナルカ故ニ控訴人ハ之ニ対シ責任ヲ有スルコトハ多弁ヲ要セス」ト判示シ以テ上告会社ニ於テ硫煙ノ遁逃ヲ防止スルニ相当ナル設備ヲ為シタルヤ否ヤヲ審究セスシテ漫然上告会社ヲ不法行為者ト断シタルハ右不法行為ニ関スル法則ニ違背シタルモノニシテ原判決ハ到底破毀ヲ免レス」（大判大五・一二・二二民録二二・二七四七）。

【103】 「控訴人カ国有鉄道中央線敷設ノ際右松樹ノ西約四間余ヲ距テ鉄道本線ヲ敷設シ其後又該松樹ノ西一

間末満ヲ距テ復線ヲ敷設シタルコト並右復線敷設後松樹カ枯死シタルコトハ孰レモ当事者間ニ争ナキ所トス而シテ（中略）右ノ松樹ハ控訴人カ鉄道本線並ニ復線上ニ於テ運転シタル汽車ノ煙筒ヨリ噴出シタル石炭ノ煤煙ノ害毒作用ニ因リテ枯死スルニ至リタルモノナルコトヲ認ムルヲ得（中略）然ラハ控訴人ノ汽車ヨリ煤煙ヲ噴出セシメタル行為カ原因トナリ右ノ松樹ヲ枯死セシメ之ニ対スル被控訴人ノ所有権ヲ侵害シタルモノナルヲ以テ若シ其侵害カ故意又ハ過失ニ出テタル違法ノ行為ナルニ於テハ控訴人ハ被控訴人ニ対シ之ニ因リテ生シタル損害ヲ賠償スヘキ義務アルコト明カナリトス仍テ之ヲ案スルニ右ノ権利侵害カ行為者ノ故意ニ因テ為サレタルコトヲ認メ得ヘキ証拠ナシ然レトモ石炭ノ煤煙カ樹木ニ害ヲ及ホスコトハ世上実例ニ乏シカラサル所ナルヲ以テ鉄道運送ニ従事スル者ニ在リテハ機関車ヨリ噴出シタル煤煙カ樹木ニ害ヲ及ホスヘキコトヲ知ラサル筈ナシ若シ之レヲ知ラスシテ煙害予防ノ為メ特ニ相当ナル方法ヲ施ササリシトセハ是レ其事業ヨリ生スル結果ニ対スル注意ヲ不当ニ怠リタルモノト認ムルニ足ルノミナラス本件ニ於テ控訴人カ前記ノ松樹ニ対スル煙害予防ノ為メ相当ナル設備ヲ為ササリシトノ被控訴人ノ主張ハ控訴人ノ争ハサル所ナルカ故ニ本件ノ権利侵害ハ之ヲ予見セサリシコトニ付キ其行為者ニ過失アルモノト認ムルヲ相当トス而シテ控訴人ノ如ク鉄道運送経営者ニ在リテハ汽車ノ運転ヲ為スコトハ権利ノ行使ナリト認メ得サルニ非サルモ此故ヲ以テ汽車運転ノ際濫ニ他人ノ権利ヲ侵害シ得ヘキ理由ナク従ツテ汽車運転ノ際故意又ハ過失ニ因リ特ニ煙害予防ノ方法ヲ施サスシテ煤烟ニ因リテ他人ノ権利ヲ侵害シタルトキハ其行為ハ法律ニ於テ認メタル範囲内ニ於テ権利ヲ行使シタルモノト認メ難ク却テ権利ノ濫用ニシテ違法ノ行為ナリト為スヲ正当トスルカ故ニ控訴人ノ事業ニ従事スル者カ煙害予防ノ為メ特ニ相当ナル方法ヲ行ハスシテ松樹ヲ枯死セシメタル以上ハ其行為ノ過失ニ出テタル違法ノ行為ナルコト明カナリトス控訴人ハ通常ノ使用方法ヲ超ヘテ鉄道敷地ヲ使用シタルニ非サルヲ以テ賠償ノ責任ナキ旨主張スレトモ本件ノ如ク他人ノ樹木ニ極メテ接近シテ鉄道線路ヲ敷設スル場合ニ於テハ樹木ニ対スル煙害予防ノ為メ特ニ相当ナル方法ヲ施設スルコトヲ要スルハ当然ノコトナルヲ以テ斯ル方法ヲ行ハスシテ松樹ヲ枯死セシメタルカ特

ニ異常ニ非サリシトスルモ其行為カ過失ニ出テタル違法ノ行為ニ非スト為スニ足ラス然ラハ控訴人ハ被控訴人ニ対シ右松樹ノ枯死ニ因リテ生シタル損害ヲ賠償スル責任アルヲ以テ被控訴人ノ本件請求ハ其原因正当ナリトス」（東京控判大七・七・二六新聞一四六一・一八）。

【104】　要旨「バス内に乗客の持ち込んだガソリンに他の乗客のタバコの火が引火し死傷者を出した場合、車掌がガソリン持込を阻止せずまた車内喫煙を阻止せず、発火後車掌が運転手に適当な非常警報を送らず、運転手はその他の警報に充分注意しなかつたこと並にバス内に消火設備が全然ないことはすべて会社の過失に帰するものとする」（東京地判昭二九・七・三一下級民集五・七・一一九四）。

【105】　要旨「自動車の運転手は道路の横断者があるときは、警笛を鳴らしていつでも急停車できる速力で進行すべき義務がある」（東京地判昭五・五・七新聞三一二九・一四）。

【106】　要旨「自動車運転手は道路横断者の通過または避譲を見届けてから進行する義務がある」（東京控判昭六五・九新聞三二八五・一四）。　同趣旨（東京地判昭七・五・二一新報三〇四・二五）。

【107】　要旨「規定以上の速度で進行中の自動車運転手が前方五、六間の位置で通行人の向つて来るのを認めながら同一の速度で進行するのは過失がある」（奈良地判大一一・八・一新聞二〇五五・二〇）。

【108】　要旨「自動車の運転手は電車軌道の作業員が退避するのを待つか、徐行しながら迂回する等深い注意を払つて進行する義務がある」（東京地判昭四・四・三〇新報一八五・二二）。

【109】　要旨「自動車運転手は生後一年半の幼児が線路上に遊んでいる場合でも、警笛は幼児に奏効なしとするも他人をして救出の機会を与えることもあるので警笛を鳴らすなど災害を未然に防止するための適当な手段をとる義務がある」（大判大一二・一〇・二二刑集二・七三八）。　幼児に対する汽車機関手の過失責任については他の同様な判例がある（大判大一五・二・二新聞二五六〇・一五）。

【110】　要旨「児童の群集する狭い道路を通過する貨物自動車の運転手は助手を下車させて群集を整理してか

ら進行しなければならない」（大判昭八・七・三刑集一二・一〇六九）。

【111】 要旨「道路を横断する幼者が立止る気配を示しただけで横断を中止したのを確認しえなかつたのに、自動車の進行を継続するのは運転手の過失である」（東京地判昭一四・六・二九新聞四四五五・一三）。

【112】 要旨「自動車の運転手が電車とすれちがうのに急速力で進行し、電車の背後から進路を横断しようとする通行人を認めながら急停車警告等臨機の処置をとらないのは運転手の過失である」（東京地判昭五・九・二七評論一九・民一三七三）

【113】 要旨「前方から進行してきた自動車が自己の進路に侵入して来た場合には自動車の運転手は一時停車するか、またはいつでも停車しうるよう徐行する注意義務を負う」（大判昭九・六・七刑集一三・七九一）。

【114】 要旨「自動車運転手が反対方向から来る自動車を認めたときは、自ら速力を減じ適切なハンドルの操作をして自動車を道路の左側に寄せて進むべきで、臨機に右側に避譲するのが適当な場合でも、あらかじめ速力を減じて事後措置を容易にとりうるよう適宜の手段を講ずべき注意義務がある」（東京地判昭三〇・一・三一下級民集六・一・一三八）。

【115】 要旨「自動車の前面に自転車に乗つて疾走して来る者を目撃しながら徐行もしないのは過失である」（京都地判大三（ワ）四一号新聞一〇一五（大四・五・三〇）・二七）。

【116】 要旨「自動車の運転手が下むきの姿勢で疾走して来る自転車を認めたのに、直ちに警笛を鳴さず従前の速度で進行するのは過失である」（広島地呉支判昭一二・二・九新聞四一七六・七）。

【117】 要旨「自動車の運転手が制限以上の速力で進行し、反対方向から自転車が進行して来たのに先行荷馬車を追い越そうとしてハンドルを切り事故を起したのは運転手の過失である」（東京地判昭一三・一二・二七新聞四三七九・一二）。

【118】 要旨「自転車に乗つた幼児が電柱に接触してよろめくのを認めたときは、自動車運転手は急停車し危険のないことを確かめてから進行する等の注意義務がある」（東京地判昭一三・五・五新聞四二七七・一五）。

【119】 要旨「自動車運転手は交差点では徐行し、横断者を認めたときは急停車する義務がある」（東京地判昭六・七・一八新聞三三〇四・一四）。

【120】 要旨「自動車を運転して街路の交差点を通過する場合は速力を低下し安全なことを見極めた上通過すべきである」(大判昭八・七・三一民集一二・二四二一)。

【121】 要旨「自動車の運転手は交差点を通行する者が信号にかかわらず停止線を突破し、その状況から衝突の危険を認めたときはこれを未然に防止する注意義務を負う」(大判昭九・七・一二刑集一三・一〇二五)。

【122】 要旨「自動車の運転手が十字路を通過するときは、速力をゆるめて進行し、側面道路から自動車等の進行して来るのを発見したときは、直ちに急停車しまたは徐行を継続する等適宜の処置をとる業務上の注意義務がある」(大判昭一一・五・一二刑集一五・六一七)。　ほぼ同様の注意義務をみとめたものに(大阪地判昭一二・二・一二新聞四一一六・一五)。

【123】 要旨「色燈による交通整理機の設備のない交差路を通過する場合には、自動車の運転手は、電車の往来に留意し、ことに進行して来る電車のあるときは、電車との距離、その速力を適確に判断するとともに、自分の曲がるべき道路の交通状態をも見究めて、衝突などの危険のないように適当の処置をとるべき義務がある(東京地判昭一三・五・三一新報五一二・二二)。

【124】 「自動車が混雑した電車停留所を通過する場合には、運転手は警笛を鳴らし、いつでも急停車できるように徐行しなければならぬ」(東京地判大一四・六・八評論一四・民九四六)。　同趣旨(大判昭二・一一・一九刑集六・一一)。　ほぼ同趣旨のものも多い(東京地判昭二・四・二新報一一七・二二、大判昭二・一二・七新聞二八一六・五、東京地判昭三・四・一四新報一六四・二四、東京地判昭五・一・二八新聞三〇八九・一一)。　その他に電車停留所付近における自動車運転手の注意義務について同程度の事故予防義務をみとめたものがある(東京地判昭五・二・二五新聞三〇九六・一二、東京地判昭五・三・三一新聞三一〇九・七、大阪地判昭五・六・三新聞三一三五・七、東京地判昭五・六・五新聞三一三六・八、東京控判昭八・一二・一八新聞三六六二・一六、東京控判昭一〇・八・二二新聞三八九九・五)。

【125】 要旨「電車が警笛を鳴らしながら進行して来たのに気づかず、自動車を踏切内に乗り入れ、電車と衝突しその飛散した椅子台で通行人を死亡させたときは自動車運転手に過失がある」(東京控判昭一〇・九・一四新聞三九一二・一三)。

【126】 要旨「電車と貨物自動車の衝突において被害者である自動車の運転手も取締令を無視して漫然踏切に乗り入れた義務違反がある以上、民法第七〇九条に所謂過失がある」(大判昭一五・四・五民集一九・六六八)。　本判決は民法第七二

二条第二項の過失の意義を明確にした点において重要な判決である。即ち原審において「自動車の運転手が電車の踏切へ乗り入れてから左方を見たとしたら電車との衝突による損害を防止または軽減しえたのに、それをしなかつたのは、過失相殺の資料とはなるが、不法な過失ではない。何故ならば民法第七二二条第二項の過失はかならずしも被害者に違法行為のあることを必要としないから、過失相殺をみとめたからといつて、不法行為としての過失をみとめたことにはならない」旨を判示したのに対して「過失相殺の過失と不法行為の過失とは同一性質のものであるから、過失相殺の適用ある場合には加害者は被害者に対し損害賠償を請求することができる」旨を判示したものである。

【127】「本件事故発生ノ場所カ車馬ノ往来頻繁ニシテ雑踏ナル街路ナルコトハ検証ノ結果……各証言ニ徴シ之ヲ認ムルに足リ又自動車取締規則第四条第二十五条ニハ往来雑踏ノ場合ニ於テハ歩行者ト同一速度ヲ以テ徐行スヘキコト他車と並行スヘカラサルコト絶エス音響ヲ鳴ラシ徐行スヘキコト等ノ規定シアルコトハ明ナレトモ（中略）各証言ニヨリテハ本件自動車カ原告主張ノ如キ高速度テ以テ他車ト並行シ音響ヲ鳴ラサスシテ進ミ其積載量ノ過重ナリシ事実ノ孰レヲモ認メ難ク却テ証人柳下ノ陳述ニヨレハ自動車カ高速度ヲ以テ進行セサリシ事実及警笛ヲ鳴ラセシ事実ヲ認メ得ヘク証人（中略）ノ証言ヲ徴スレハ其積載量カ最限量以下ナリシ事実ヲ認ムルニ足レリ然ラハ被害者末吉ノ死亡ハ被告会社ノ被用人ノ過失ニ基因スルモノト云フヲ得サルヲ以テ此点ニ於テ原告等ノ本訴請求ハ理由ナシ」（東京地判大七・九・二七評論七・民八六八）。

本判決は警笛を鳴らして徐行する自動車は雑とうの中で人に衝突しても運転手に過失がないことをみとめている点においては、前示判例【98】及び【105】【110】【124】その他に示された強い注意義務の要求に反するかのような傾向を示している点において注目すべきものである。その点ではむしろ異例に属するとみるべきであろう。

【128】要旨「交通がひんぱんで比較的せまくしかも路次のある道路では、自動車の運転手は警笛を鳴らし速力をゆるめて進行しなければならない」(大判昭二・六・二三新聞二七一六・七)。

【129】要旨「混雑する道路を通行する自動車の運転手は警笛を鳴らすとともに徐行して事故の発生を未然に防ぐ義務がある」(東京地判昭三・一〇・二三評論一八・民七六四)。同趣旨(松本区判昭五・三・一三新聞三一〇〇・一三)。

【130】要旨「交通信号による妥当な線路横断時期を誤つたときは自動車運転手に過失がある」(東京地判昭一二・七・一二新聞四一六六・四)。　同趣旨(東京地判大一五・五・二九評論一六・民四六二)。

【131】要旨「自動車運転手の停車の位置が不当のときは後車の追突について故意過失がある」(東京地判昭二八・八・一〇下級民集四・八・一一三三)。

【132】要旨「自動車の運転手が助手をして後方遠距離を注意させ音響器を鳴らしただけで自動車の直後に危険がないか否かを確認しないで後退したために、車の後部に児童が接着して停止しているのに気がつかずこれに傷害を与えた場合には運転手に過失の責任がある」(大判昭九・一二・一〇刑集一三・一七〇九)。

【133】要旨「自動車の運転手は運転の開始に際し自動車の各部について詳しく点検し運転に差支えないかどうかを確める義務がある」(大阪地判昭一二・一一・二九新聞四二二七・七)。　同趣旨(東京地判昭五・一〇・二七新聞三一九七・七)。

【134】要旨「ブレーキの不完全なことを発見した場合は直ちに修理するか、やむなく進行するときはいつでも直ちに停車できるよう万全の処置をとつて運転する注意義務がある」(札幌地判昭二八・三・二三下級民集四・三・四一五)。

【135】要旨「自動車運転手は自動車が入庫中はギアを安全位置に復しておかねばならぬ」(東京地判昭五・二・一二新聞三〇九一・一一)。

【136】要旨「自動車運転手は夜間暗い街路を進行するに当つては前照燈が故障で消火したときは停車、最徐行、警笛吹鳴等の手段をとらねばならない」(大阪地判昭六・三・一六新聞三二五一・一四)。　ほぼ同趣旨(東京地判昭一三・五・二八新聞四二九九・九)。　同(大津地判昭二七・五・二四下級民集三・五・六七八)。　街燈の設備のない街路の場合(東京控判昭一五・七・二二新聞四六〇五・五)。

【137】要旨「貨物自動車の運転手は助手又は荷主が同乗している場合でも積荷の転落によつて通行人に危害を及ぼさないよう、相当の注意をする業務上の義務を負う」（大判昭九・九・一〇刑集一三・一一五八）。

【138】要旨「満員の乗客をのせ扉を閉めないまま発車合図をした車掌はとびらを閉めるまでの徐行中は停止している時と同一の安全を客に保障すべきで、発車合図直前右手をかけてつかまつていた乗客の転落に気づかないのは過失である」（東京地判昭二七・四・二三下級民集三・四・五四五）。

【139】オートバイ、サイドカー、自動自転車、小型三輪自動車、ラビットの運転無免許者の注意義務は大体自動車運転手と同様の注意義務である」（東京地判昭五・一一・二〇新聞三二〇五・一四、大判昭九・三・三一新聞三六九四・一三、大判昭九・一一・二三新聞三八〇一・五、大判昭一〇・二・一四刑集一四・九六、東京地判昭二九・九・一四下級民集五・九・一四八九、大阪地判昭二九・一二・一三下級民集五・一二・二〇一五）。

【140】要旨「警鈴およびブレーキの装置のない自転車で急坂を下り、通行人を認めながら下車または停車しなかつたのは過失である」（東京地判大八・一二・一二評論八・民一二七六）。

【141】要旨「左側通行すべきにかかわらず被害者の自転車が右側通行をしているにしても加害者が自転車を右方に転換すれば衝突を避け得たのに、それをしなかつたのは過失である」（東京控判大八・一二・二二新聞一六五四・一九）。

【142】要旨「自転車に乗つている者は、前方に通行人があるときは、警鈴を鳴らし避譲・急停車等の処置をなすべきである」（東京地判昭六・一〇・一〇新聞三三三三・一四）。

【143】要旨「自転車に乗つている者は前方に横断者があるときは一時停車するかまたはいつでも急停車できるように徐行する等の注意をしなければならない」（東京地判昭七・六・三〇新報三〇四・二三）。

【144】要旨「通行人のひんぱんな街路の片側に貨物自動車が停車して見通しの障害となつている場合、自転車で反対側から横断しようとする者は街路と直角に進行すべきである」（大判昭九・五・一五刑集一三・六二六）。

【145】要旨「往来のひんぱんな個所では自転車操縦者は後方から追い越す自動車の進路を妨げないようにしT字路などでは後の車に自分の曲る方向を予知する処置を講じなければならぬ」（東京地判昭一三・九・一九新聞四三二四・一五）。

【146】 要旨「通行ひんぱんな通路で児童の遊戯を認めながら荷馬車の進行を継続するのは過失である」（東京地判大八・一二・二四評論九・民二六一）。

【147】 要旨「一般の通行を禁じた路次内でも数百貫の木材を満載して入るには、馬車をゆつくり入れるほか視野の範囲内に危険がないかどうかを確かめなければならない」（東京地判大一〇・一〇・二二新聞一九一七・九）。

【148】 要旨「後退する自動車に合図するため路上を後退しながら横断する者が後方に注意しなかつたために、注意して進行してきた荷馬車にふれたとしても、荷馬車ひきには過失はない」（東京地判大一一・一〇・九評論一一・民一三〇七）。この際横断者が注意を怠らないのに荷馬車ひきが不注意である場合には荷馬車ひきに過失がある」（千葉地判大一二・五・八評論一二・民五三九）。同趣旨（東京控判大一三・四・一〇新聞二二五七・一九）。

【149】 要旨「通行人が列を作つている路上をとおる荷馬車は積んだ荷物のかげになつている方面にも注意しなければならない」（東京控判大一四・七・一評論一四・民五四八）。

【150】 要旨「ひき馬に人を咬む癖があるために荷馬車ひきが前方の注視を怠り、通行人に接近してにわかに車の向をかえこれに損害を与えたのは過失がある」（大判昭二・二・二六新聞二六七九・九）。

【151】 要旨「自由に操縦できない程重い材木を積み、無燈火の荷車で薄暮進行する場合は、運搬に従事する者全員が慎重な注意を払つて進むべきで、過失によつててんぷくして他人に損害を加えたときは全員の過失となる」（大判昭五・四・二四新聞三一三二・一一）。

【152】 要旨「乗合馬車の御者が手綱を御者台に結びつけているだけで、手綱を放していたために、馬が爆音に驚いて逸走したのは過失である」（東京控判大九・三・三一新聞一六九四・一九）。

【153】 要旨「電車会社は人畜の往来がひんぱんで軌道に多少の勾配のある箇所の踏切には遮断機を設置しまたは番人をおく義務がある」（神戸地判年月不明評論一六・民二一八）。

【154】 要旨「電車の線路を横断しようとする者はその通過するのを待つて線路内に入るべきで、運転手は進

行中の電車を停止し通行人をして先ず線路を横断させた後に進行を継続する必要はないから、踏切通過に際して運転手が警笛を吹鳴し時速を落して進行し、急停車の処置をとつた場合には運転手には過失はないが、見通のわるいその踏切に番人を置かず自動警報機を設備しなかつた経営者にどのような責任があるかは別問題である」（大判昭五・九・二三新聞三一七二・五）。

【155】 要旨「電車軌道会社は交通ひんぱんで見通しが悪く事故の多い踏切には自動警報機ばかりでなく開閉機および番人をおかなければならぬ」（東京地判昭五・一二・八新聞三二二二・七）。 その他適当な保安設備をする義務をみとめるもの（大阪地判昭六・一〇・一新聞三三二六・一二）。

【156】 要旨「交通がひんぱんで相当危険な踏切に音の低い自動信号機だけで遮断機、番人を置かないのは義務違反である」（東京地判昭一四・一・三一新聞四三八六・七）。 資材労力の不足時でも警報機も設置しないのは会社の過失とするもの（大阪地判昭二七・八・二〇判タ二八・六八）。 同趣旨（大阪高判昭二七・一一・三〇下級民集四・一一・一七七四）。

【157】 要旨「危険予防の設備を必要とする程度に交通のひんぱんでない踏切に番人その他危険防止設備をしなくても直ちに電車会社に過失があるとはいえない」（横浜地判大七・七・二七新聞一四四六・一七）。

【158】 要旨「通行人は一日平均二〇〇人で前後平たんな踏切には危険標示のほか番人設備の必要は存しない（東京控判大九・一一・二二評論九・民一二四四）。

【159】 要旨「一日の往来人数平均一〇〇人内外の踏切は往来ひんぱんな踏切道とはいえないから保安設備をする必要はない」（東京控判大一四・九・二四新聞二四九七・一四）。

【160】 要旨「見とおしの悪い踏切であつても、平常は自動車の通行が禁じられており、人車馬の通行もあまりひんぱんでない場合は番人をおかなくても電車会社の過失はない」（東京地判大一五・三・一二新聞二五三八・五）。

【161】 要旨「交通がひんぱんでも幅がせまくて荷馬車や自動車のとおれない踏切には警報機・遮断機・踏切番等の保安設備の必要はない」（東京地判昭五・三・五新聞三一〇〇・一四）。

【162】要旨「電車会社が夜間踏切番人を引き揚げまた自動警報機その他これに類する設備をしなかつたからといつて直ちに過失があつたとはいえない」（東京控判昭六・二・一七新聞三三五八・一四）。

【163】要旨「交通の相当ひんぱんな踏切に番人をおいて旗ふり信号をしている以上、遮断機を設けなくても過失とはならない」（東京地判昭六・六・一六評論二一・民一〇二二）。

【164】要旨「踏切が駅の構内にあつて一般人は通行せずまた交通もひんぱんでないときは警報機・遮断機・番人等の設備がなくても会社に過失はない」（東京控判昭七・七・六評論二二・民一二二七）。

【165】要旨「往来がひんぱんでなく踏切付近から容易に電車の進行を見とおしうるときは、遮断機・警報機の設備をつくらなくても過失ではない」（東京控判昭七・一一・二九新聞三五一九・一四）。

【166】要旨「付近は広い田地でしかも交通量の少い踏切には警標のほかに看守人を配置したり遮断機等の設備をする必要はない」（長崎控判昭一一・七・七新聞四一一八・四）。

【167】要旨「付近に鉄橋があつて容易に一車の通過を知ることができ、しかも交通量も少い踏切には番人・自動閉塞機等の保安設備をしなくてもよい」（長崎控判昭一一・一二・一一新聞四一〇一・一四）。

【168】要旨「交通量一日平均四千人以上の踏切には門扉、二千五百人以上四千人以下の踏切には警報機を夫々設置し、二千五百人以下の踏切には保安設備は原則として設置しないという国有鉄道の基準と照応しても、交通量一日平均千人以下に過ぎない本件踏切については、たとえその見透しが不良であり、又付近に小学校があつて児童の通行することが多い踏切であるとしても、電車会社が保安設備を設置しなかつた過失があるとはいえない」（東京地判昭二八・一二・二四下級民集四・一二・一九七八）。

【169】要旨「東京市およびその近郊では夜間と昼間と交通量が異らないから、踏切番人をおかないときは自動警報器その他の設備をするのが鉄道業者の義務である」（東京地判昭五・五・二八新聞三一三六・九）。

【170】要旨「遮断機のある踏切では、その閉鎖後も危険防止のため番人の不在を明示するため警標および照

明の設備をすべきで、この注意義務は通行人が交通機関に対する危険防止の協力義務ある故を以て免ぜられない」(大判昭一七・九・五新聞四七九九・一七)。後の【172】において公衆の協力義務を強調したのに対して加害者の責任を強調した点は特色がある。

【171】 要旨「踏切が駅構内にあつて、夜間通行人が少ない場合夜間番人をおかず、開閉機が開放されたままであつたとしても鉄道経営者に過失はない」(東京控判大一四・一一・一九評論一五・民三七)。

【172】 要旨「鉄道のような公共的設備に対しては公衆も協力すべきであつて午後十時以後は番人をおかず、またその掲示を明認するための燈火がなかつたことから直ちに過失があるとはいえない」(大判大一五・一二・一一民集五・八三三)。

【173】 要旨「踏切のあることがよく判る地形にあり、午後八時以後は殆んど交通のない場合、遮断機、看守人をおくにとどまつて、終夜看守人をおかないのを過失とすることはできない」(東京控判昭九・六・二〇新聞三七二六・五)。

【174】 要旨「鉄道線路の主務官庁が踏切番人設置の必要を認めなかつた場合は、反証のない限り、番人をおかなくても過失ではない」(東京控判明四四・一〇・一三新聞七五七・二一)。

【175】 要旨「踏切付近に設置してある警標が平がなで書かれ、小学校一年生に読めなかつたからといつて、国の設備上の過失とすることはできない」(長崎控判昭一一・一二・一一新聞四一〇一・一四)。

【176】 要旨「運転手が踏切を通過する者を発見して危険を未然に防止するために展望できるよう適当の設備をしなかつたのは、軌道運輸業者の過失である」(東京控判昭一〇・一二・一〇新聞三九五一・七)。

【177】 要旨「軌道条例による鉄道も鉄道建設規程第三四条により、必要な場所に堤を築き、さくを設けまたはみぞを掘る義務がある」(東京地判大五・六・七新聞一一五五・二六)。

【178】 要旨「電車会社は停留場付近の専用軌道に踏切のある場合も、すき間から軌道敷に乱入するのを防ぐ設備をする義務はない」(東京控判大七・九・二三新聞一四七〇・二二)。

【179】 要旨「電車の自動式とびらの故障のため手動式にし、忍び錠の設備なしに運転したとしても、設備を

しないために特に危険でなく、資材その他の関係でやむを得ない状況にある以上、施錠設備をしなかつたことに対して会社の過失はない」（大阪地判昭二五・八・七下級民集一・八・一二〇二）。

【180】要旨「資材が極度に不足している時代は別として、電車会社が急停車による乗客の衝撃に備えてつり革を整備しないときは乗客が折り重つて倒れて負傷したことにつき過失がある」（東京地判昭二六・五・二六下級民集二・五・七一八）。

【181】要旨「電車経営者は相当の光力ある前照燈を電車に設備する義務がある」（大阪控判大八・二・一五新聞一五四九・一七）。

【182】要旨「軌道事業者がブレーキのないトロ車を用いるのは過失である」（水戸地判大六・六・一六新聞一三一一・二九）。

【183】要旨「電車会社が電車の前方下部に金網その他災害予防施設を取りつけなければならぬ義務は当然には肯定しえない」（東京高判昭二六・一・二七下級民集二・一・七五）。

【184】要旨「いままでなだれの発生したことのない場所になだれ予防の設備をしなかつた過失が鉄道当局にあるというためには、諸般の気象事情を検討し、積雪となだれの因果関係について経験と科学とを応用した上で、本件事故の発生を予測できたかどうかを判断すべきである」（大判昭一六・六・六法学一一・九五）。

【185】要旨「軌道事業者が県の許可条件である設備を怠つたのは過失である」（水戸地判大六・六・一六新聞一三一一・二九）。

【186】要旨「電車による運送事業を経営する者は、市街地で電車軌道修理工事を行う際は工事中であることを示す設備をすべきである」（東京地判大一四・七・一〇評論一四・民八四五）。

【187】要旨「電車の経営者は軌道内の陥没箇所の所在を適当な標識で表示する等、交通安全のために相当の施設をする義務を有する」（東京地判昭一五・一〇・二一新聞四六七三・九）。

【188】要旨「乗客が停留所外で電車に飛び乗りをこころみて軌道に倒れ車輪にふれた場合、電車の運転手がこれを知らず急停車しなかつたとしても過失があるとはいえない」（東京控判大一一・六・二七新聞二〇四九・二〇）。

【189】要旨「徐行中の電車の乗客がつい落する危険にあることを他の乗客の声から感知して直ちに急停車したときは運転手に過失はない」（東京地判昭四・一〇・三一新聞三〇四六・五）。

【190】要旨「電車の運転手が理由なく不必要な制動をかけることは普通ありえないことであるから、不必要に制動をかけたという立証のない限り急制動による乗客の負傷につき運転手の過失を認定することはできない」（東京地判昭二六・五・二六下級民集二・五・七一八）。

【191】要旨「電車運転士が電車に定員以上の乗客を乗せたことをもつて、その過失とすることはできない」（東京地判昭二六・五・二六下級民集二・五・七一八）。

【192】要旨「公路軌道において貨車の運転に従事する者は、軌道に沿いしかもこれに接触して同一方向に向い前面を徒歩する者を認めた以上、警報・運転停止等応急の処置をとらなければならない」（東京控判大八・六・二〇評論八・民一〇七六）。

【193】要旨「列車の機関手が線路に通行人を認めたときは直ちに警笛を吹鳴していつでも急停車できる処置をとらなければならない」（水戸地判大八・八・二一新聞一六四七・一九）。
幼児について同趣旨（東京控判昭六・一〇・二二新聞三三五〇・一七）。　同趣旨（大判大一三・一二・二新聞二三四四・四）。

【194】要旨「積雪のため進行不能となつた列車から下車し線路を徒歩で到達した者を目撃した救援車の機関手は他の線路上にも同様歩行者のあるか否かについて注意し危害を及ぼさないように注意する義務がある」（東京控判大元（ネ）七八四新聞九六二（大三・九・一〇）・二六）。

【195】要旨「電車がふくそうし順次に発車する場合に急速力で運転するのは運転手の過失である」（東京控判明四四・一〇・七最近判九・二〇六）。

【196】要旨「色燈による交通整理機のない交差路を通過する場合には電車の運転手は衝突の危険のないよう適宜の処置をとる義務がある」（東京地判昭一三・五・三一新報五一二・二二）。

【197】要旨「電車が専用軌道を進行して自動式踏切警報機の設備のある踏切にさしかかつた場合、運転手は人・車が通常なすべき注意を以て横断する際にそれが避譲できるような処置を講じ得る程度の速力で進行すれば足りる」（東京地判昭一二・六・一八新聞四一五五・四）。

【198】 要旨「専用軌道踏切の自動警報機の赤い電燈が点滅し警鈴が鳴つている場合には電車の運転手は踏切を横断通行する人・車を認めたときは直に急停車の処置を講ずることのできるように徐行し、且要すれば急停車をしないことは過失がある」（東京控判昭一四・七・一九新聞四四八四・七）。

【199】 要旨「保安設備のない踏切で電車がすれちがう時は運転手は速度をゆるめ、またすれちがいの前後から踏切通過まで継続して警笛を鳴らす等周到の注意をしなければならない」（東京控判昭七・一一・二九評論二二・民三二）。

【200】 要旨「電車運転手はとくに踏切設備のない踏切において通行人をみとめ、その者が姿勢態度その他情況によつて電車の進行に気づかず線路を横断しようとする危険があると信ずべき場合には、停車するとか速力をゆるめるとか衝突を避けるのに必要な注意をする義務がある」（東京地判昭二五・七・七下級民集一・七・一〇四二）。

【201】 要旨「高速度交通によつて利益をうける公衆も危険防止義務を負担するから、電車の運転手が踏切通過に際して速度を減じなかつたとしても、踏切手前三〇〇メートルで警笛を鳴らした以上過失はない」（東京地判昭二六・六・一二判タ一五・六五）。　同趣旨（東京地判昭一四・三・一七評論二八・民五八五）。　なお【203】参照。

【202】 要旨「電車運転手は踏切を通過せんとする場合は間断なく警笛をならすとか、速度をゆるめるとかして、危険防止のため必要な万全の態勢を整えて運転すべき業務上の注意義務がある」（大阪地判昭二七・八・二〇判タ二八・六八）。　同趣旨（大阪高判昭二八・一一・三〇下級民集四・一一・一七七四）。

【203】 要旨「運転手が被害者が危険を避けるのに適当な距離、すなわち踏切から一四〇メートル以外において警笛を鳴らさなかつたのは過失がある」（東京控判昭一〇・一二・一〇新聞三九五一・七）。

【204】 要旨「電車運転手は通行人が踏切に向つて来るというだけでは停止する必要はないが、危険のおそれのあるときは徐行または停止して危険を未然に防ぐ処置をとらねばならぬ」（大判大八・二・七民録二五・一七九）。　同趣旨（東京控判大七・九・一八新聞一四六六・一七）。

【205】 要旨「通行人が列車の進行を認めて踏切前で停止しながら、ふたたび突如横断のため線路に突入し、

応急停車も間に合わず機関車に衝突死亡した場合は、運転手としては通行人が列車の通行を待合すものと考えたのは妥当であり警笛を鳴らさなかつたとするも過失はない」(大判大八・二・一五刑録二五・一五七)。

【206】 要旨「踏切において通行人が電車の進行に気づいて待避しつつあると認められる場合には、運転手は徐行する必要はない」(東京控判昭八・一二・三〇新聞三六六三・九)。

【207】 要旨「電車の運転手が夜間電車を操縦中専用軌道の前方の踏切で提燈が振られているのを見たときは危険発生の合図として危険防止の手段を講じなければならない」(大判昭五・五・一六新聞三一二七・一二)。

【208】 要旨「電車の乗務員は乗客が満員で降車客のない場合には、停留場に停車しなくてもよいから、停車場を過ぎて進行中の電車から乗客が飛び降りて負傷したことにつき過失があるとはいえない」(東京地判大一五・一二・二四評論一七・諸法三二二)。

【209】 要旨「横断者が電車に衝突して救助網にかかつたことを気付かずに運転手が進行をつづけ、その動揺によつて振り落されて轢れたときは運転手に過失がある」(東京控判大一四・三・七評論一四・民三四一)。

【210】 要旨「通行人が多少の注意をすれば容易に害を防止できる踏切を通過する際、列車が時速六〇粁で進行するのは必ずしも機関手の過失とはいえない」(長崎控判昭一一・一二・一一新聞四一〇一・一四)。

【211】 要旨「前照燈が車体の前面二、三尺の地点しか照らさないために、子供の発見がおくれ、運転手が適当な注意をしても衝突を避けられなかつた場合には運転手に過失があるとはいえない」(大阪控判大八・一二・一五新聞一五四九・一七)。

【212】 要旨「後部車掌が発車合図をするには乗降客の整理が完了して電車を発車させても危険のないことを確認した上でなければならない」(大判昭二・六・二五刑集六・二三五)。

【213】 要旨「通過信号機の設けのない駅においては駅長またはその代理者は構内に危険のないことを確めた上で進行信号をする責任がある」(大判昭四・七・二六新聞三〇八四・一三)。

【214】 要旨「鉄道の車掌は発車前も運転の前途に支障のないかどうか、とくに規定の標識を確認して危害を

未然に防止する義務があり駅長助役の発車合図があるからといつてこの義務を免れない」（大判大三・五・二三刑録二〇・一〇二一）。
同趣旨（大判昭一七・七・三新聞四七八五・二）。

【215】「上告会社ノ電車運行ニ関シテハ列車運転及信号取扱心得（明治四十二年十二月二十三日達第千九十五号）ニ依拠スヘク而シテ同第五十条ニ依レハ電車カ停留場ニ在ル間ハ其ノ進退ハ総テ駅長ノ指示ニ従フヘキモノナルコト所論ノ如クナレトモ本件ノ如ク電車カ通常停車スヘキ地点ヲ過キテ停車シタル為運転手カ之ヲ逆行セシメントシテ車掌ニ対シ信号ヲ為シ車掌ハ右応諾ノ信号ヲ為シ運転手カ之ニ従ヒ電車ヲ操縦シタルニ車掌ニ過失アリタル為右操縦ニヨリ人ノ生命ヲ害スルニ因ル不法行為ノ責任ハ叙上ノ規定アルカ為ニ之ヲ不問ニ付スヘキモノニ非ス蓋此ノ場合ハ電車カ停留所ニ停車シタル前示条文ノ場合ニ当ラサルヲ以テ車掌ニ於テ逆行応諾ノ信号ヲ為シ之ニ関シ過失アリタル以上同人ノ不法行為ヨリ生スル責任ニ付テハ其ノ通則タル民法第七百九条以下ニ依リ之ヲ定ムルヲ当然ナリトスレハナリ故ニ原判決ハ右ト同趣旨ヲ以テ車掌ニ過失ノ責アリト判断シタルモノニシテ正当ナレハ本論旨ハ理由ナシ（中略）電車運転ノ如キ人ニ危害ヲ及ホス虞アル事業ニ従事スル者ハ危険ヲ避クルニ相当ナル注意ヲ用ヒ若危険アリト認メタルトキハ之ヲ避クルニ適当ナル措置ヲ採ルコトヲ必要トシ其ノ実行ノ難易ヲ問フヘキモノニ非ス左レハ所論ノ如ク仮令其ノ他ニ車掌ノ行フヘキ事務繁多ナリトスルモ之カ為ニ同人ニ右危険ヲ防止スヘキ職責ナシト云フヲ得ス」（大判大一一・一〇・七新聞二〇五六・一九）。

【216】要旨「電車逆行の際車掌は乗客が下車したかどうか、逆行進路横断者の有無等逆行によつて生ずる危険のないことを確めた上で運転手に対し逆行合図する義務がある」（名古屋地判昭五・七・三〇新聞三一八一・八）。

【217】要旨「電車のとびらの自動開閉器が故障して手動式で開閉していた場合、従業員がとびらの完全に閉つたのを確認して発車した以上、何人かが故意にとびらを開いたために被害者が転落したとしても従業員の過失ではない」（大阪地判昭二五・八・七下級民集一・八・一二〇二）。

【218】要旨「被告が闇夜に空貨車の後押をするにあたり、前方に原告が貨車後押をする者あるを認めながら

これに到達する掛声をすることなく貨車を前方貨車に衝突せしめて原告を挾圧し負傷せしめたのは被告の過失である」（東京地判大八・七・一一評論八・民六五一）。

【219】要旨「列車の操車係が直空貫通制動機の連絡の有無について点検を怠つたのは、危険発生防止の注意義務を怠るものである」（大判大一四・二・二五刑集四・一二五）。

【220】要旨「操車係は貨車手押作業中の者がないかどうかを確めるか、これらの者に大声で警告するかして操車する責任がある」（東京地判昭二・六・一一新報一二三・二五）。

【221】要旨「無設備の踏切を通過する場合には列車の運転および信号担当者は汽笛を鳴らさなければならない」（大阪地判大六・六・二〇新聞一二九四・二五）。

【222】要旨「踏切番人は列車の通過の障害をなくすると同時に通行人の生命身体等に対し危害の生ずることを予防すべき義務がある」（大判大一〇・一・一七刑録二七・一）。同趣旨（大判大一〇・九・五刑録二七・五八五）。

【223】要旨「踏切番人がやむをえず自ら任務に当りえないときは、相当な時機に相当な代理人を立てて代用させ、よつて完全にその義務を果さなければならぬ」（大判大一〇・九・五刑録二七・五八五）。

【224】要旨「踏切番は担当時間終了後も交替者が来着するまでは看守する義務がある」（東京控判昭五・六・七新聞三一六四・六）。

【225】要旨「踏切に設備した閉塞木は汽車通過の際はたとい通行者がない場合でも下して踏切を閉塞しなければならない」（東京控判大四・四・三〇新聞一〇二三・二一）。

【226】要旨「わずか七、八秒後に来る電車を看過して遮断機を上げた踏切番は過失がある」（東京控判昭九・二・七新聞三六九五・九）。

【227】要旨「電車が踏切直前に迫つたときに遮断機を下そうとしたため、自動車が線路上に進入して事故をひき起したときは、事故の発生は番人の過失と自動車運転手の過失に原因する」（東京控判昭一四・三・二二新聞四四三八・九）。

【228】要旨「踏切番は開閉器を閉鎖し、これを越えたりくぐつたりする者のないことを確かめた後でなければ安全信号を行つてはならない」（大判大七・五・二三民録二四・九九九）。

【229】 要旨「開閉機に故障を生じ、下すことができなかつたので、しきりに通行人に対し汽車の近づいた旨を警告し踏切の通過を制止したのに、あえて通過して事故を生じたときは番人に過失はない」（東京控判大六・九・一八評論六・民八九六）。

【230】 要旨「踏切の信号手の職責は電車に対する合図のほか、通行人に危害を被らせないように注意することにある」（東京控判大三・七・九新聞九六五・二三）。 同趣旨（東京控判大九・七・一六評論九・民七四七）。（神戸地判昭四・四・一九新聞三一三一・一三）。

【231】 要旨「開閉鎖を下したのに通行人がすでに踏切にあつて危険の切迫したときは踏切番は危険信号を出すべきである」（東京地判大三・一〇・三新聞九七八・一七）。

【232】 要旨「線路の故障のある場合には、番人はつねに線路を看守し、夜も巡視しなければならない」（大判大九・六・一七民録二六・八九一）。

【233】 要旨「汽船の運航においては、船長は他船との衝突を防ぐため、前方注視、警笛吹鳴、急停船等適宜の処置をとる義務がある」（東京地判昭二・一一・九新聞二七七四・九）。 夜間港内航行について同趣旨（函館地判昭一六・一〇・二二評論三一・民四二）。 普通の航路でない場所の航行について、同趣旨（大判明三七・二・一二民録一〇・二三四）。 全速力で航行する場合も同趣旨（山形地酒田支判昭二五・五・一八下級民集一・五・七六〇）。

【234】 要旨「風波水流の関係上河口の左側を航行したが、当時の状況上船長としてなすべき当然の処置をとつた場合は衝突について過失はない」（東京控判昭一〇・一一・二六新聞三九四八・一六）。

【235】 要旨「船が衝突の危険のある工作物に接近してとまる場合には、船長その他の船員は天候、風位、風速、潮流等を考慮し、接触の危険のないように万善の処置を講ずる義務がある」（広島控判昭一四・二・二五新聞四五六四・七）。

【236】 要旨「坐洲した船舶を引卸すことが船長の職務行為に属する以上、その作業中他の船舶をして曳綱の上を通過せしめるに当つては、その船舶を安全に通過させるために必要な方法を講ずることも船長の業務であるから所論判示曳綱鋼索の一端を直に遺り放ち得る方法を講じなかつたのは船長の注意義務違反である」（大判大一

三・一一・四刑集三・七七三）。

【237】　要旨「甲乙両船の臨機至当な処置によらなければ衝突を免れない状況では、甲船が処置しない以上は乙船が処置してもむだな場合は、乙船に過失なく、甲船が処置しない場合にも乙船が処置すれば損害を軽減しえたような場合には過失の責を免れない」（大判昭二・六・七新聞二七〇七・四）。

【238】　要旨「船燈の取扱は経験のふかい者にさせ、石油を使用する場合は夜半の調整を行つて光力を維持させるようなことは、船員（船長）の注意義務の範囲に属する」（大判大一五・五・七民集五・三六六）。

【239】　要旨「難波の状態にある帆船を検査ずみの径一寸八分の綱一本で曳航した場合、ひき綱の切断のため曳かれる船の所在を失つたとしても、曳船船長の過失ではない」（広島控判大七・一二・二六評論七・民四二一）。

【240】　要旨「起重機のフックの故障があるのに気づかず、またワイヤロープに対する安全率を越えた盤木を運搬しようとしたのは従業者の過失である」（広島地呉支判大一三・六・五新聞二二八二・一八）。

【241】　要旨「現場監督者がミキサー回転開始時刻にならないのに、ただ「始めるぞ」と声をかけただけで回転させ、そのためにミキサーに注油していた者を傷けたのは過失である」（長野地飯田支判昭一二・七・二〇新聞四一六九・一四）。

【242】　「被控訴人カ前示ノ如ク稲ヲ植付ケアル田地ノ附近ニ於テ右有毒瓦斯ヲ発生セシムルカ如キ方法ニ依リ肥料及硫酸ノ製造ヲ為ス以上ハ其遁竄ヲ防止スルニ足ル十分ノ設備ヲ為シ稲ヲ害スルコトナカラシムルハ其製造業ニ伴フ当然ノ義務ト云フ可ク而モ前記甲号証ニ依レハ弗化水酸瓦斯ハ硝石ヲ腐蝕スル作用ヲ為シ亜硫酸瓦斯ハ異臭ヲ放チ容易ニ其遁竄セルコトヲ知リ得ルノミナラス稲ヲ害セサル程度ニ於テ其遁竄ヲ防止スルハ不能ノコトニ非スシテ只之ニ必要ナル十分ノ設備ヲ為ストキハ時ニ営業上損害ヲ蒙ルコトアル可キ虞アリト云フニ過キサルコト明白ナルカ故ニ被控訴人カ右有害瓦斯ヲシテ遁竄セシメ控訴人ノ所有ニ属スル本訴ノ稲ニ害ヲ及ホサシメタル以上ハ何等特別ノ事情ノ存スルコトヲ認ムルニ足ル証拠ナキ本件ニ於テハ被控訴人ハ其防止ヲ為スニ必要ナル注意ヲ払フコトヲ怠リ事茲ニ至ラシメタルモノト認ムルヲ相当トスルカ故ニ被控訴人ハ不法行

為ノ責ニ任セサル可ラス」(大阪控判大五・一〇・二〇四新聞一一九三・二四)。

【243】要旨「化学工業に従事する会社などが事業から生ずるかも知れない損害を予防するために、相当の設備を施した以上は他人に損害を被らせても故意過失がない」(大判大五・一二・二二民録二二・二四七四)。

【244】要旨「地盤の崩壊しやすい所で堀下工事をする者は、隣地の崩壊を防止するために適当な設備をしなければならぬ」(神戸地判大一三・二・一五新聞二三七八・二二)。

【245】要旨「昼夜交通のひんぱんな場所で電車軌道を横断して堀さく工事をする者は、夜間は十分照明を与えて通行人に危険を予知させる義務がある」(神戸地判昭二・五・二〇新聞二七三四・五)。

【246】要旨「地質が軟弱で土壌崩壊し易く、しかも人の居住する家屋からわずかに一、二尺ほどの路次をへだてた場所に、鉄筋コンクリート建々物を建築するにあたり、基礎工事のため地掘をするとき不完全な土留設備をするのは、土壌の崩壊について過失がある」(東京地判昭五・四・二三評論一九・民九三一)。

【247】要旨「堅固な建物の建築に際して土留工事を行う場合、鉄矢板を使用しないことは過失ではないが、木製矢板を使用しながら板と板との間にすき間を生ぜしめたのは過失である」(東京地判昭八・一〇・一一新聞三六二八・八)。

【248】要旨「地下鉄工事において井水のかれることは当然予見しまたは予見し得べきであるから、渇水について工事施行者に故意過失の責任がある」(東京地判昭五・七・四新聞三一七二・九)。

【249】要旨「地下鉄のトンネルを堀る工事による工作物の損傷については、加害者が自分に故意過失のないことを証明しなければ損害の賠償責任を免れることができない」(東京地判昭一〇・一二・二七新聞三九四四・三)。

【250】要旨「建築工事について警視庁の認可をうけかつ係員の検査を経たからといつて、建築工事の施行に過失がなかつたとはいえない」(東京地判昭八・一〇・一一新聞三六二八・八)。

【251】要旨「電気工事の技術上の監督として派遣された者は災害予防の責務を負わされたことのない以上、建築請負人に一時コンクリート打工事を手控えさせ、または被害者を一時現場から去らせる等のことをしなか

つたとしても過失ではない」(東京控判昭一二・三・三〇新聞四一三一・九)。

【252】 要旨「伐採事業に従事する者は、伐採転落上危険な区域において、上方から木材を転落させるには、下方における人の出入等に特別周到の注意を要する」(大判大八・一二・二三民録二五・二三四八)。

【253】 要旨「木材の積取作業に従事する者は、作業中危険を生ずるおそれが発生したときは一時作業を中止、するなど臨機の処置をとらなければならない」(大判昭三・一一・一九新聞二九三八・一二)。

【254】 要旨「鉱山業者は坑道の落盤のおそれのある場所については危険予防のため支柱その他の設備をして危険予防の方法を講ずべきである」(大判昭二・五・二七新聞二七〇九・一二)。

【255】 要旨「坑道掘進先で支柱を準備し、坑夫に自ら支柱を施させることになつていた上に、当日は「ハッパ」をかけるため落盤のおそれあり明日入坑すべしと注意せるにかかわらず坑夫がこれを無視して当日入坑し、しかも支柱を施さず掘進したため負傷したのは鉱山主の過失によるものではない」(大判昭三・二・一二新聞三〇〇〇・九)。

【256】 要旨「採炭事業経営者が炭坑内の硬落下防止の設備を設け、使用人をして硬落下その他による坑内車道の故障除去に当らせていたのに硬が落下して一炭車が停車した場合に、先発炭車の停留に注意すべき業務上の注意に反して、他の炭車運搬夫が通風用幕の前で停車する等の処置を講じないで前車に衝突し、運搬夫が負傷したのは経営者に過失があるとはいえない」(長崎控判昭六・二・七新聞三二五五・七)。

【257】 要旨「鉱業権者は石炭採掘に際し、行政上の取締規定あるいは監督官庁許可の施業方法を守つたという一事だけで私法上の注意義務を尽したとはいえない」(福岡地判昭一三・一〇・三一新聞四三四四・三)。

【258】 要旨「鉱業経営者は危険な個所で坑夫を作業に従事させる場合は、危険の除去に専心し、または一時作業を休止させるのは当然の義務で、収益の幾分を犠牲にしてもやむを得ない」(大判昭一三・一二・二三判決全集六二・四)。

【259】 要旨「鉱山保安のため必要なだけの炭壁、炭柱の厚みがなかつたために、炭鉱が落盤して地表の水田や家屋を破壊した場合、経営者は落盤防止の措置を怠つた過失がある」(岐阜地判昭三〇・四・二五下級民集六・四・八三五)。

【260】要旨「炭坑の保安係はカーバイトランプのはだか火がガス炭じんに着火爆発するのを防ぐため、炭じんの沈圧に適当な方法を講じ、また適時巡視しなければならない」（大判昭一八・三・一〇新聞四八三四・一二）。

【261】要旨「電線の架設が電気工事に反して建物との距離わずか三尺にすぎないのに昼間も電流をとおしていたため子供がこれにふれてやけどしたときは電気会社の使用人に重大な過失がある」（長野地判大六・三・一三新聞一二五六・一五）。

【262】要旨「電気工事わけても高圧線を架設した電柱の工事に際しては現場責任者は電線の電流が完全に遮断されているか否かについて検査する義務があるから、電流遮断の確認を怠つたため電工が感電つい落したのは現場責任者に過失がある」（福岡高判昭二七・四・九下級民集三・四・四八二）。

【263】要旨「電気事業法による電気工事規程第十三条第二項によれば人の触れる虞のある位置に装置せる器具で特別高圧電気（三五〇〇ボルト以上）を充当するものは、その周囲に人の接触を予防すべき適当な装置を施すことを要すと規定してあるので、電気事業者が特別高圧電気を充電するのではない開閉塔に人の接触を防ぐべき適当の装置を施さなかつたとしても過失ではない」（東京控判大五・七・一五新聞一一七七・一七）。

【264】要旨「行政官庁が電気会社の施設が電気事業取締規則に適合するかどうかを判定してその営業を許可したからといつて、会社の危険予防設備不十分による損害賠償責任を免脱させるものではない」（大判明三二・一二・七民録五・一一・三二）。

【265】要旨「電燈会社が屋根に感電する事実を知りながら修理を怠つてろう電のため発火し建物を焼失させたときは過失の責任がある」（静岡地沼津支判昭三・二・一新聞二八〇七・一五）。

【266】要旨「医師の資格のない者の診察治療もそれが妥当なものである限りつねに必ずしも過失に基くものとはいえない」（東京控判大一四・二・二八新聞二四〇一・六）。

【267】要旨「保険医が診察しないで虚偽の診察報状を作成し、そのために保険会社に損害を被らせたときは過失がある」（釧路地判昭四・四・二四新聞二九九〇・一二）。

【268】 要旨「保険会社の嘱託医が健康状態について相当予備知識をもつている被保険者の自殺に際し、これを看過して病死の診断書を作成したのは少くとも過失の責任がある」（大判昭一三・一二・三判決全集六・九・五）。

【269】 要旨「医師が小児に対し注射針をさすには、突然身体を動かすことあるを慮つて万全の注意を払わねばならぬ」（東京地判昭一五・一二・九新聞四六七七・七）。

【270】 要旨「医師が静脈に注射すべき薬液を注意を怠つて動脈に注射し、また病院長が傍にありながら未経験な医師の誤れる注射に注意せず危険を未然に防がなかつたのはいずれも患者の患部の組織壊死による乾性壊死について過失があり、両者は共同不法行為者として各自連帯して損害賠償の責に任じなければならぬ」（東京地判昭二八・一二・二四下級民集四・一二・一八一五）。

【271】 「被告ハ其主治医トシテ其ノ手術ノ為メニヨシニ対シ助手ヲシテ「クロロホルム」麻睡剤ヲ施サシメタル処数分ヲ経スシテ右麻睡剤施用ノ為メ身体ニ異常ヲ生シ俄然死亡スルニ至リシコトハ当事者間ニ争ヒナシ（中略）鑑定人（略）ノ鑑定ニ依レハ「クロロホルム」麻睡剤ヲ使用スルニ当リテハ仮令其用法ニ過チナシトスルモ時トシテハ受術患者ノ特質ニ依リ麻睡死ヲ来タスコトアリテ其原因ハ医学上ヨリハ予断シ得サルモノナルコト明瞭ナルカ故ニ亡ヨシカ「クロロホルム」麻睡剤使用ノ為メ死亡シタル事実アルカ為メ直チニ其主任医タル被告ニ過失アルモノトハ認メ難ク証人（略）ノ証言ニヨレハ本件麻睡剤施用中被告ハ手術幕外ニアリテ喫煙ヲ為シ居タル事実ヲ認メ得ヘシト雖トモ右事実ハ未タ被告カ本件麻睡剤使用ニ当リ医師トシテ為スヘキ相当ノ準備又ハ注意ヲ怠リタルコトヲ推断スル資料トナスニ由ナク又同証人ノ証言ニ依レハ本件麻睡剤ヲ使用スルニ先チ右ヨシハ月経中ナルモ差支ナキヤト尋ネタルニ被告ハ差支ナシトテ手術ニ着手シタルコト明ラカナリト雖トモ鑑定人（略）ノ鑑定ニ依リ明ラカナル如ク月経中麻睡剤ヲ使用スルモ通常生命ノ危険ヲ伴フモノニアラサルヲ以テ之又被告ノ過失ト認ムルヲ得ス」（東京地判明四四（ワ）二五〇号新聞八一二（大元・九・一五）・六）。

【272】 要旨「医師が用法の不確実な新薬を使用するときには極少量から徐々にこころみる等細心の注意をし

なければならぬ」（東京地判大一四・六・三新報六八・二三）。

【273】要旨「脳病院経営者が極度の神経衰弱で自殺のおそれのある入院患者を自由に単独外出させ、その自殺に機会を与えたのは過失である」（東京控判大一二・七・三一新聞二二〇四・六）。自殺のおそれがなく却って治療上適当と診定して外出を許可した場合、自殺しても過失があるとはいえない判例（東京控判昭二・五・一六新報一三〇・一四）。

【274】要旨「レントゲン放射治療でやけどを生じたとしても、操作上の失態なく予見しえない感受性の過敏によるときは医師に過失はない」（東京地判昭一三・三・三〇新聞四二七一・三）。

【275】要旨「梅毒にかかつた者の血を事情を知らずして患者に輸血して患者に梅毒を感染させた場合、給血者に対して問診を行わなかつたのは医師の過失である」（東京控判昭三〇・四・二二下級民集六・四・七八四）。

【276】要旨「新聞記者が判決言渡後退廷した係裁判長から無罪となつた事実を聞きながら漫然その点を確かめないで、手形偽造は無罪になつているにも拘らず新聞が「小切手詐欺女に判決」という記事の見出を出したのは過失である」（神戸地判昭二五・三・二八下級民集一・三・四二八）。

【277】「人ノ名誉ニ関スル重大ナル事実ヲ単ナル憶測又ハ不確実ナル伝聞等ヲ基礎トシテ記事ヲ作成シ之レヲ掲載頒布スルカ如キハ決シテ慎重ニ調査ヲ遂ケタルモノト称シ難キノミナラス苟モ人ノ私行ニ関スル非行ヲ新聞紙ニ掲載頒布スル以上故意ニ他人ノ名誉ヲ毀損スルモノニ外ナラス其非行ノ真実ナルコトヲ信シタルト将又信スルニ付キ過失ナカリシト否トヲ問ハス其ノ責ヲ免ルヘカラス」（東京地判昭一三・二・二八新聞四二六九・一三）。

【278】要旨「新聞の経営者は他人の私行に関する記事について正確性、真実性に格段の意を用い表現もみだりに人の名誉、社会的地位を傷けないように配慮する義務がある」（東京地判昭二七・五・一判タ二二・五四）。

【279】要旨「新聞記者が捜査課長のような信頼すべき対象から取材した場合には自己の捜査機関によつてその真否を確めなかつたとしても、名誉き損について過失があるとはいえない」（福岡高判昭二八・一・一六下級民集四・一・三八）。

【280】要旨「放送内容となつたニュースの取材・編集に当つて警視庁で一般に行われている方法によつた上

その字句に若干の訂正を施したのは、過失があるとはいえない」（東京地判昭二八・九・八下級民集四・九・一二六三）。

【281】 要旨「他人の名誉をきずつけるような声明書が出版図書の本文末尾と奥付との間につづり込んで製本してあるのを出版会社の代表者または責任者が知らないのは過失である」（東京控判昭一二・一・二七新聞四一一九・七）。

【282】 要旨「運送営業者の支配人が運送契約の存否、運送品の受取について全然調査することなく、求められるままに貨物引換証を発行したのは過失がある」（長崎地判大一二・二・二三新聞二一五八・一七）。

【283】 要旨「運送人が荷送人との約定を無視して貨物引換証と引換でなく貨物を荷受人に交付した結果、返還を不能にしたときは、運送人は荷送人の所有権を故意に侵害したもので不法行為となる」（東京控判大五・一〇・七新聞一一九一・二二）

【284】 要旨「駅長が荷受人でない第三者の詐害を信じ、単に人違いでないとの他人の保証をえただけで通知書を持参しないのに運送品を引き渡したのは業務執行上の過失である」（東京区判大九・五・三一新聞一七三四・二〇）。

【285】 要旨「着駅運送取扱人が貨物引換証の発行のあつた旨の通知を受けた以上、かりに引換証が法定の記載要件を欠くものであつても、これと引換でなく貨物を荷受人に引渡したのは重大な過失である」（東京地判昭二・六・三〇評論一七商五三七）。

【286】 要旨「運送取扱人が荷受人でない者に貨物を交付した場合は、たとえ貨物引換証付のものでなく、また領収証を受領して引渡したとしても重大な過失がある」（東京地判昭二・一〇・二九新聞二七七〇・一一）。

【287】 要旨「貨物引換証の発行された旨の通知があり、それと引換でなければ貨物を荷受人に引き渡してはならない義務があるのに、引換でなく渡し、荷送人の貨物回収を不能にしたときは、たとえ証券が無効であつても少くとも過失によつて荷送人の所有権を失わせたものである」（東京控判昭四・一一・一四新聞三〇八七・一二）。

【288】 要旨「火気に感じ易い棉花を積んだ無蓋貨車を最後尾に連結せず機関車より六、七輛目に連続し、機関車の煙筒より噴出する火粉により焼失したのは鉄道業者の過失である」（東京控判明四四・七・四新聞七四一・二三）。

【289】 要旨「貨物の積込、荷下しについては鉄道省は駅出入運送店と協力して従事するという事情の下で

は、駅貨物係は運送店仲仕の貨物窃取につき過失があるとはいえない」(東京控判昭九・五・一六新報三七〇・一六)。

【290】要旨「蜜蜂の移送を列車指定扱で委託されたのに鉄道側が不可抗力によるのではなく都合によつて連絡船を休航して一日延期させ蜜蜂を死なせたのは重大な過失である」(東京地判昭一二・七・一三新聞四一六九・五)。

【291】要旨「運送人が運送の途中で運送品を下して保管する必要を生じたときは、盗難予防のため万全の処置を講ずる注意義務がある」(名古屋地判昭二六・一一・一下級民集二・一二六九)。

【292】「元来倉庫証券ナルモノハ所謂無因証券ニアラス倉庫営業者カ証券ヲ発行スルニ当タリ現ニ寄託ヲ受ケタルモノハフランネル又ハ三河木綿ナルニ拘ハラス羅紗ナル物ヲ記載シ証券ノ所持人ハ其証券ノ不正ノ記載ヲ信シテ証券ヲ取得シタリトスルモ証券ノ所持人ハ倉庫営業者ニ対シ不正ノ記載ニ相当スル羅紗ノ引渡ヲ請求スルコトヲ得ルモノニアラス倉庫証券ハ寧ロ所謂有因証券タルノ性質ヲ有スルモノニシテ倉庫営業者ノ義務ハ証券ノ発行行為ニ因ルニアラス寄託契約ニ因リテ生スルモノナルヲ以テ現ニ寄託ヲ受ケタルモノヲ返還スレハ其義務ヲ免ルルモノトス故ニ若シ倉庫営業者カ証券ニ不正ノ記載ヲ為シ証券ノ所持人カ其記載ヲ信シテ証券ヲ取得センカ証券ノ所持人ニ於テ不測ノ損害ヲ被ルヘキコト明ラカナルノミナラス商法第三百五十九条ニ於テ倉庫証券ニ記載スヘキ事項ヲ明細ニ規定シタル法律ノ精神ヨリ推測スルモ倉庫営業者ハ善良ナル管理者ノ注意ヲ以テ証券ノ記載ヲ為シ其記載ノ事実ニ符合セサル不正ノモノタラサルコトヲ注意セサルヘカラサルヤ勿論ナリ(中略)寄託品ニ付キ右ニ挙ケタル六個ノ事項存在スルトキハ箱中ノ物件十中九迄ハ舶来羅紗ニアラサルヘシトノ疑ヒヲ生スヘク善良ナル管理者ノ注意ヲ以テスレハ内容ヲ点検スルニアラサレハ倉庫証券ヲ発行スヘキモノニアラス(中略)然ルニ被控訴人カ寄託品ニ付キ十分ナル調査ヲ為サス漫然(中略)事実ニ符合セサル不正ノ記載ヲナシタル証券ヲ発行シタルハ証券発行ニ付キ善良ナル管理者ノ注意ヲ欠キタル過失ノ責任アルモノト謂ハサルヲ得ス」(東京控判明四五・三・三〇新聞八六八・二二)。同趣旨、(大判大二・四・二六民録一九・二八一)(東京控判昭一〇・九・二一新聞三九二六・四)。

【293】要旨「倉庫の受寄貨物である塩素酸ソーダの倉入に際し出張所主任が危険の有無等何の取調もせず仲

仕主任以下に一任して顧みなかつたのは過失である」（大阪控刑判大八・一〇・二九新聞一六四七・一七）。

【294】「被告は質商又は古物商の性質上その営業上の取扱品が盗難品であるかどうかを判断すべき注意義務を当然要請されているところであつて、而も不正品なりや否やの判断は質商又は古物商にとつては一般人程困難なものではないと推断される。そして古物商たる同被告がその営業上の取引たると否とを問わず、いやしくも自分がある品物を買入れてこれを他の者に売渡す場合には右認定の如き注意義務に何等の差等があるべき理由はなく、かかる注意義務の怠慢に因り漫然と盗難品を買入れてこれを他人に売渡した後該品物が盗難品であることが判明し、被害者の回復請求により其買受人に於て其品物の占有を失つた本件の如き場合にはその行為は同被告の過失による不法行為と認むべきであるから（中略）損害賠償をなすべき責任がある」（福井地判昭二五・四　裁判日不明下級民集一・四・六四三）。

【295】要旨「銭湯の湯は入浴に付危険のない適度の温度に保つ義務があり、陸湯は所謂流し湯として浴槽内に比し高温を保たしめるのが通常であるが右の義務には差異はない。だから陸湯が九〇度以上の熱湯でしかもおおいのなかつたために幼児が落ちて死亡したときは、反証のない限り営業者に過失がある」（東京地判昭六・四・二五新聞三二六〇・五）。

【296】要旨「旅館業者の失火から宿泊人が焼死しても、該宿泊人が何れも普通の知能及動作の自由を有する身体及心神の健全者にして不具廃疾一時の疾病乃至危険知覚の喪失若しくは未成熟な老幼者等の事由に由つて法令慣習又は契約（特別の）に基き旅館業者において同人等に対し特別の看護義務を負担した者でない限り、旅館業者に過失致死の責任はない」（稚内区判大六・三・一二新聞一二四三・二三）。

【297】要旨「旅館の従業員が客から預つたかばんを虚偽の電話をかけ客の使者と称する者に漫然交付したのは旅館の従業員としてとるべき処置をとらなかつた過失がある」（東京高判昭二七・一一・二二下級民集三・一一・六二六）。

【298】要旨「百貨店で客に万引の疑があつてもその名誉信用をきずつけないように注意する義務がある」

（東京地判昭七・七・一四新聞三一七四・六）。

【299】　要旨「盗難による郵便貯金通帳再下付の請求があつた場合にその請求を受付けながらその後原告の盗まれた通帳を持参して改印届をなし且翌日その通帳により貯金払戻を請求した者に対し何等問査せず漫然之を受理して印鑑変更及貯金払戻の手続をなし尚その翌々日再び請求をうけて払戻をなしその結果原告の債権を失わしめたのは過失である」（長崎区判大九・五・二六新聞一七一二・一八）。

【300】　要旨「子が親の貯金通帳を持参して払戻を求める場合、持参の印鑑が印鑑届と異ることを発見した郵便局係員はそれが代理人または使者であることに疑念をもつべきであり、その場で偽造の改印届をしたのに即時払渡したのは過失がある」（大判昭一一・二・一七民集一五・二四九）。

【301】　要旨「銀行と預金者間に通帳および一定印を持参する者に対する払戻はすべて有効とする旨の契約がある場合には、預金者が男子であるのに女子に払戻をしたとしても銀行に過失があるとはいえない」（東京地刑判大五・一〇・七評論六刑訴七）。

【302】　要旨「弁護士は執行事務を行うに際して債務者が人違いであることを主張し弁疏したにも拘らす、此点につき調査をし分明する迄姑く執行を差控えることなく敢て執達吏をして執行せしめて損害を与えたのは過失がある」（大判昭三・一一・二五新聞二八一八・六）。

【303】　要旨「株主名義人から会社に改印届のあつた後、届出前の旧印鑑による白紙委任状に基いて株主名義書換の請求があつたときは、株券発行会社は請求者が改印届出前の株券委任状等の善意無過失の取得者であるか否かを調査する必要はなく、実質上の権利者と信ずるに足るときはこれに応ずる義務があるが、かく信ずべき根拠は株式会社としては裏書及び委任状の印鑑が会社に予め届出られた株主名義人の印影と一致することにあるから、この一致を確認した上で書換に応じたとしても過失があるとはいえない」（大阪地判昭二七・一〇・四下級民集三・一〇・一三八三）。

【304】　要旨「会社が増資新株申込証拠金領収証と引換えでなければ株式の名義書換をなしこれに対応する株

券を他人に交付してはならない義務に違反したのは過失がある」（東京地判昭二九・一・一八下級民集五・一・二〇）。

【305】要旨「株式会社の設立をよそおつて払込金をだまし取ろうとする不法行為者に対して、発起人になることを承諾したに過ぎない者は、不法行為者を監督すべき義務がないから、受諾者の氏名濫用を制止しなかつたとしても過失があるとはいえない」（東京控判明四三・一二・一七新聞七〇一・二一）。

【306】要旨「発起人の資格がないのにあると誤信して職務を行つた場合、誤信が法律家の説に従つたものとしても過失のある場合がある」（名古屋控判大四・五・二二新聞一〇一九・二二）。

【307】要旨「負債のある旧会社を承継する新会社の発起人が起業目論見書の作成に際し旧会社の負債額やその償却に関する記載を欠き目論見書の示すような利益を算出すべき方法を目論見書からは知ることができないために株式応募者の誤解を招き損害を与えたときは、反対の事情のない限り過失の責を免れない」（大判昭八・一二・二八民集一二・二九七八）。

【308】要旨「取締役や監査役が不正行為を看過し、十分の調査をしないで虚偽の貸借対照表および不法な利益配当を承認して公示させたのは業務上の怠慢過失がある」（東京控刑判大六・一〇・二四新聞一三三七・二三）。

【309】要旨「取締役の不法行為がきわめて穏秘かつ巧妙で監査役が多大の注意をもつて職務を尽しても容易に覚知できない状態である場合は過失があるとはいえない」（大判大一一・五・一一（刑）新聞二〇二〇・一七）。

【310】要旨「監査役の選任にあたり甲が有力候補者乙に六ケ月後の日付の辞任届を交付して候補者たる地位を譲受けるという不公正な行為によつて監査役に当選した甲については、その六ケ月後この辞任届の交付をうけていた取締役がこれを取締役会に提出しそれが受理されて退任の登記がなされても、監査役の地位を失わせたことにつき取締役に故意過失はない」（京都区判昭一三・九・二一新聞四三三六・一三）。

【311】要旨「会社が従業員を解雇し、労働組合の要求によつてその代表者が非公開の席上極秘として従業員が前科に関する経歴を詐称したことを指摘したとしても、従業員の名誉をき損する故意または過失があつたと

はいえない」（佐賀地唐津支判昭二七・二・六下級民集三・二・一五一）。

【312】　要旨「清算人が、資力のある未払株主に対して強制執行せず失権手続をとつたのは過失がある」（広島控判昭五・七・二五新聞三一五六・五）。

【313】　要旨「小学校教員が児童のくびを圧して地上に倒し負傷させるのは懲戒の範囲を逸脱して故意または少くとも過失に出た不法行為である」（東京地判昭二・一一・一一新報一三〇・二三）。

【314】　要旨「小学校長および教員が懲戒権を行う場合には職務上周到な注意を用い、児童の身体を傷けその健康を害するような結果の発生を避けるべきである」（大判（刑）大五・六・一五刑録二二・一一一一）。

【315】　要旨「仮差押当時の見積価格以下で競売されたからといつても、本件競売が適法に行はれた以上は、仮差押当時の見積価格以上の最高価競売の申出がなかつたために其以下の最高価競売額を以て競落するに至つたとしても執達吏が故意又は過失によつて控訴会社の権利を侵害した不法行為があつたとはいえない」（長崎控判大九・六・一五新聞一七二八・一六）。

【316】　要旨「他の執達吏の仮処分した物に対してさらに強制執行しても、仮処分の公示のない場合には後の執達吏に過失があるとはいえない」（東京控判大一五・三・一三評論一五・民訴三八六）。

【317】　要旨「執達吏がなした第三者の所有物に対する強制執行が停止命令により停止された場合、債権者の執行処分解除後さらに同一名義に基く執行を委任されて同一物を差押えた場合には、執達吏は強制執行の濫用をするものであり故意又は過失がある」（大判昭一五・二・三民集一九・八三）。

【318】　要旨「告発されて検事局で取調中である旨を警視が新聞記者に対し述べたために新聞紙に載つたとしてもその談話は故意過失によつて名誉を毀損したとはいえない」（東京地判大八・一〇・二二評論八民一一二五）。

【319】　要旨「動産および有価証券の差押については収税公務員が現品を占有するかまたは差押を明白にする必要があり、これを欠くときは差押が無効であることは収税吏員は当然知つていたと認めるべきであるにもか

かわらず、敢て公売をなし、しかも鑑定をも命じないで自転車四輛合計金四千円以上に相当するものを金三百五十円二十二銭の滞納税金徴収のために他の一輛と加えて五輛を全部落札せしめるのは、名は即滞納処分というも実は不法行為と認定すべきである」（大判昭一六・二・二七民集二〇・一一八）。

【320】 要旨「町長兼墓地管理者が墓地所有者の承諾のない無効な改葬許可に基いて改葬した場合、その行為が職権濫用であることを知らなかつたとしても、法律を知らなかつたことについて過失がある」（大阪高判昭一五・六・二八新聞四六一五・三）。

【321】 要旨「墳墓改葬の許可に墳墓所有者の同意を欠くのは無効であるが町長兼墓地管理者が通常の注意を用い警察署長の指示に従い許可を有効と誤信して改葬した場合は過失があるとは速断できない」（大判昭一七・三・二〇民集二一・二〇一）。

【322】 要旨「収入役の保管する村有公金の不足が同一収入役の就任直後からはじまりその存在期間中にわたつて逐次累増しその間同人の補塡弁償等を経てなお現存する場合は、とくに同人の責に帰すべからざる特段の事由のないかぎり、一応同人の故意または少くとも過失に基くものと推認してよい」（東京高判昭二九・八・三一下級民集五・八・一三八九）。

次に権利実現の過程における過失については、仮差押、仮処分について、判例は実体法上の権利がないのに執行した場合は、権利があると信ずるのに相当の事由がある場合の外は故意または過失があるとする（【323】）。そして権利の存在を信ずべき相当の事由が、どのようなものであるかについては判例【324】乃至【334】に示される。従つてかような相当な事由がない限り右の執行は過失ありとされる（【235】乃至【346】）。これは実体法上の権利がないのに執行を解くことなく継続する場合も同様である（【347】乃至【349】）。また実体法上の権利があつても仮差押または仮処分をなす必要（民訴七三八条・七五五条）のない場合に敢てこれをなす場合は過失がある（大阪地判大一二・一〇・二七新聞二二三三・五）。また本案訴訟の目的物以外の物体について仮処分をするときは勿論過失がある（東京控判昭一四・二・二七新聞四四三五・三）。但同一の登記用紙に数棟の建物が登記されていてその一部について仮処分ができないために両者をともに仮処分に付したとしても過失はない（大判昭一一・三・二一判決全集三・四・二八）。そして仮差押をなすことが法上ゆるされるものと信ずるについて相当の事由がない限り（不注意がある限り）過失ありとみるべきであつて【350】乃至【353】。例えば債務者の資産状態が調査しても不明確のときは判例は仮差押をなすべき相当の事由ありとする（大阪控判昭一三・七・一四新聞四三二四・七）。そして仮差押命令が発せられた当時に相当な事由があつたときは、後に本案訴訟が他の裁判所に提起されたために右仮差押命令が取消されても債権者に過失はない（仙台地古川支判昭三・七・一〇新聞二九五三・一一）。また仮差押をなすについて相当の事由のある場合でも、第三者の所有物に執行した場合には、それが第三者の所有権が明確である場合に敢て執行した場合には過失があるが（宮城控判月日不明新聞五二七（明四一・一〇・一五）・一七）。明確でない場合には過失がないと判示している【354】、【355】。但し耕作物を仮差押をした場合にそれが第三者のものであつても債務者の所有地に生育している以上、それは一応同人の所有に属するものと推定されるから直ちに過失ありとはいえない（大判大七・二・一四民録二四・二二五）。そして異議の訴に敗訴した場合でも直ちに仮差押を解除したときはやはり過失はないものとみる（名古屋区判昭七・六・六新聞三四四〇・一二）。

また仮差押または仮処分をなすことは適法である場合でも、その方法が不注意の結果妥当でないために損害を与えたときは過失がある【356】乃至【359】。

次に強制執行については、実体法上の権利がないのに執行する場合は、仮執行の宣言に基いて執行した以上は執行完結前に債権消滅の事実を知らないことに過失がない限り執行には過失はない【360】乃至【363】)。また公正証書に基く執行の場合には、公正証書が事実に合しない場合には不法であるが、執行力があると思つたことに不注意がない限り過失はない(【364】)。そして公証人が権限内において作成しかつその謄本に形式上欠陥のない以上、公正証書を有効と信じたことには過失はない(【365】)。しかし公正証書に基く強制執行に対する請求異議の訴が勝訴になつたときは「已ニ該強制執行ノ続行スヘカラサルモノナル事ヲ知リ若ハ知リ得ヘカリシモノト推定スヘキモノニシテ若シ之ヲ知ラサリシトセハ此ノ点ニ於テ到底過失アルコトヲ免レサルモノト云フヘク」従つて執行の続行は過失によるとされる(大判昭八・一二・一二裁判例(七)民二八〇)(債務名義によるものとしての同趣旨のものは大判昭六・一二・二新聞三三五一・一二)。また確定判決に基く執行の場合でも、和解によつて債権を拋棄したのに和解前の勝訴判決に基いて差押をするのは故意過失に基く不当の処分である(東京控判大一二・七・二七新聞二〇三二・一七)。更に、第三者の所有物に強制執行をした場合に関する判例は多数あるが該差押物件が債務者に属すると判断することに相当の事由のある限りは債権者の過失はない(【366】乃至【372】)。またたとえ強制執行に際して第三者が債権者に異議を申入れた場合でも執達吏が一定の法律上の見解に従つて職務の実行に着手する以上この異議を採用しないからといつて直ちに債権者の故意過失による不法執行だとはいえない(東京地判明三九・一〇・二新聞三八九・二二)(【373】【374】)。但し異議が明かに不当とみられない場合には、一応調査すべきは当然であつてそれをしないで執行することには過失がある(【375】乃至【379】)。したがつて調査をすることなく強いて執達吏に執行せしめることには過失がある(【372】参照)。但し執達吏が有体動産の差押をするときは自由に職権をもつて選択しうるから、債権者が差押物件がだれの所有に属するかについて調査しなかつたからといつて過失はみとめられない（東京地判昭五・一二・三新聞三二〇七・一七）。そして調査の結果が競売開始の時迄真偽不明のときは競売は一時延期する義務がある。従つて延期することなく競売を実施するときは過失がある（大阪地判大一三・三・二九新聞二二七六・一四）。また債権者は差押物件を適当に保存することについて注意を怠るときは過失がある（大判大七・七・一〇民録二四・一三六五、大判昭一四・一〇・二八判決全集六・三〇・一六、東京地判昭二六・七・三一下級民集二・七・九六五）。更に受執行宣言によつて物件の引渡をうけても、その基礎となつた判決が取り消されることもありうるのであるから、これを他に売却して返還を不能にしたときは過失によつて相手の権利を侵害したものと推測される（大判昭一〇・七・一二裁判例(九)民二〇三）

次に、調査すれば理由のないことが判明すべきにかかわらず調査することなく破産宣告の申立をする場合は過失がある（大判明三二・一二・二一民録五・一一・八八、大判昭一四・三・七新聞四三九七・一一）。

また債権者が弁済を受領したときは最早担保権を実行する権限がないにもかかわらず、担保物を競売するのは明に故意に他人の権利を侵害するものであるが（東京控判大一三・七・八新聞二二九三・一五）、権限のある場合でも、競売の目的物について所有権を主張する第三者のある場合には、競売申立人は真否の調査をして競売開始の時までに調査ができないときは競売は一応延期するように注意すべきであるにかかわらずこれをしないで第三者の権利を侵害したときは過失がある（大判大四・三・二五民録二一・三五一）。また第三者の代位権を侵害する場合にも過失がある（【380】、【381】）。

更に民事訴訟の提起および応訴に関しては、訴訟の提起が理由ありと信じ且そう信ずることに妥当な根拠がある限り過失はない、この根拠を欠くときは過失ありとされる。この点は、他人の権利実現行為を妨害した場合も同様である（【382】乃至【392】）。

また権利の証明の書類作成または交付に際しても、他人の権利を侵害することのないことを信じ且そう信ずることに相当の理由のあるときは過失はない（【393】乃至【396】）。

【323】 要旨「実際上権利を有しない債権者が、法律の規定を知らずまたは誤解してその権利があると信じて債務者の財産に対して仮差押をした場合は一応は債権者に過失があると見るべきであるが、相当の理由があるときは過失がない」（大判明四一・七・八民録一四・八四七、大判昭一三・一〇・一二新聞四三三五・一二、大判昭一三・五・七民集一七・八六七）。裁判上債権がないことになつた場合または仮差押が本案訴訟の結果取消された場合も同様である（大判明三九・一〇・一八民録一二・一二八九、横浜地判大六・六・三〇新聞一三三三・二〇東京控判明三七(ネ)四四三号新聞二二七（明三七・八・二五）一九、大判昭一〇・七・九裁判例(九)民一九七東京控判昭一三・一一・五新報五三〇・二〇）。

【324】 要旨「特許権の侵害があると確信し弁護士の意見をきいた上で告訴、仮差押をするのは過失がない」（東京地判大四・一二・二二新聞一〇九〇・一五）。

【325】 要旨「仮差押申請者が第一審で勝訴判決を得た以上、一応請求権の存在を信ずるにつき過失がなかつた者といえるから債権保全のために仮差押をしたことについて不法行為の責はない」（大阪地判大一〇・六・二五新聞一八九七・一七）。

同趣旨（宮城控判昭六・二・二四新聞三二五三・七）。

【326】 要旨「債務者が債権証書を所持する債権譲受人に対し、明確な証拠を示さずして債権譲渡人に弁済したと主張しながら他に資力もないのにその所有不動産を急遽他に売却したような場合に、仮差押をした債権者は、本案訴訟で敗訴しても特別の事情のない限り過失はない」（東京控判昭九・一一・一五新聞三六八一・一四）。

【327】 要旨「債権者が債権の満足のためには仮差押をするほかなきを信じ、弁護士とも相談しその意見に従い仮差押をした場合はたとえ本案訴訟に敗訴しても故意又は過失はない」（東京控判昭九・五・一四新聞三七〇九・一七）。

【328】 要旨「工場抵当の目的物中に包含される印刷機械について二重抵当権の設定をうけた甲が抵当権に基

いて競売を申立てて競落人となり、仮処分によってこれを取り上げた場合、債務者乙がこれを工場外に移転することについて一番抵当権者の承諾なく、また二番抵当権設定に際し乙は一番抵当権設定当時と物件の現状に変動のないものとして表示し、それらの事情のために、甲が工場内に備え付けてあるものと信じて二番抵当権の設定をうけたものとすれば、甲は仮処分につき過失はない」（大判明四四・一一・一民録一七・六一七）（前掲【10】と同じ）。

【329】要旨「連帯債務の負担部分につき通説に従って代位権を有すると信じて仮処分をした場合、申請が虚構または過誤によるものとして損害賠償の原因とすることはできない」（東京控判明四五・九・二四最近判一一・一二三）。

【330】要旨「売買契約解除に必要な行為を全部履践した者が売買契約が解除されたものと信じて目的立木に対し仮処分したのは過失によるとはいえない」（長崎控判大一〇・一・二五新聞一八二〇・一五）。

【331】要旨「買戻権の有無が争われている場合に、買戻の特約をしたと主張する者が一方において買戻権存在の確認並に其登記手続履行請求の訴を提起し、他方之が保全処分として該土地の処分禁止の仮処分をしたときは、本訴で敗訴しても直ちに過失があったとはいえない」（東京控判大一三・五・二二新聞二二七六・一三）。

【332】要旨「所有権移転事実に相違があるとしても登記簿の記載に基づいて詐害行為取消の訴を提起し仮処分したのは過失ではない」（東京控判昭一〇・九・二七新聞三九〇六・五）。

【333】要旨「少数株主催を行使して本店所在地以外に招集された総会において招集者が勝手に議長となった場合、その決議を無効と考え、決議無効の訴訟提起に先立ち新取締役、監査役の職務執行の停止および代行取締役選任の仮処分を求めるのは故意過失があるとはいえない」（神戸地判昭一三・六・一一新聞四三〇四・一〇）。

【334】要旨「商標権の侵害ではないが通常人が侵害と考えるような事実があり、専門家である弁理士の意見をきいた上で仮処分したのであれば故意過失があるとはいえない」（大判昭一六・三・二九判決全集八・一三・一八）。

【335】要旨「債務者が残代金の支払について猶予をうけたと信じ、かつ解除によって既払代金の返還を請求しうるものと誤信したとしても、債権者に契約の不履行のない以上、既払代金返還請求権保全のためにした仮

差押について故意過失の責を免れない」(大判昭一四・九・一五判決全集六・二八・五五)。

【336】 要旨「電話加入権のない者が仮処分によつて電話加入権者の権利を侵害したときは故意または過失があると推定することができる」(大判大一〇・四・四民録二七・六八二)。

【337】 要旨「所有権取得の登記を了せる者に対して自己が所有権者なりと主張して所有権確認の訴を提起すると同時に仮処分命令を得てその者の該土地を占有支配した者が、確定判決によつて敗訴したときは過失があるものと推定される」(東京控判大一三・一〇・一四新聞二三二六・二〇)。

【338】 要旨「解釈上争のあるのに一・二の判決例の見解に従つて権利の存在を確実に対抗し得るとして仮処分を申請した場合、その権利の対抗についてこれを認める判決を得ることができなかつたときは、過失があるといえる」(東京地判昭五・五・二七新聞三一三八・九)。

【339】 要旨「借地人の賃料の提供および供託があつて、賃貸人の解約が失当であるのに、これに注意しないで明渡の仮処分をしたときは過失がある」(東京控判昭七・五・二四新聞三四四二・九)。

【340】 要旨「相当の注意を用いるときは樹木が他人の所有に属することの容易に知り得るにもかかわらず、その樹木を自己の所有に属するものと誤信して仮処分したのは過失がある」(大判昭八・六・二八新聞三五八六・八)。

【341】 要旨「機械船として登記もなく、又船舶だけの引渡があつたのに競売物件中にも掲げられない発動機の所有権をも取得したと信じて仮処分を執行するのは過失がある」(宮城控判昭九・四・一一新聞三六九九・一六)

【342】 要旨「抵当権は目的物を占有する権利を含まないのに、抵当権者が競落人への引渡命令に対して執行停止の仮処分を申請するのは専門的知識の欠陥がやむをえないものとして責任が除却されるのでなければ主観的にも不相当な行為である」(大判昭九・六・一五民集一三・一一六四)。

【343】 要旨「土地の買受人が地上の建物収去の仮処分を申請するに際し所有者の借地権の有無を確かめないのは過失がある」(東京控判昭一〇・九・三〇新聞三九三一・七)。

【344】　要旨「実用新案権に基づく製品とは構造上差異があるのに仮処分ならびに刑事の告訴をするのは営業侵害について過失がある」（東京地判昭一三・六・三〇新聞四三一〇・一四）。

【345】　要旨「正当に伐採した杉材に対し不法な伐採として仮処分によつて搬出を阻止したのは故意または過失によつて他人の権利を侵害したものである」（名古屋高判昭二八・八・一九下級民集四・八・一一六二）。

【346】　要旨「すでに存在する仮処分命令を廃止、変更しまたはその執行を除去することを直接の目的として仮処分を申請するのは法律の規定を知らずまたはこれを誤解したとしても過失がある」（岐阜地判昭二九・七・二下級民集五・七・一〇二六）。

【347】　要旨「債権が弁済されたのに仮差押を解除する手続をとらないで損害を加えたときは申請人は故意過失の責を免れない」（東京控判大一〇・八・九評論一〇・民訴四二七）。

【348】　要旨「仮処分者が本案訴訟で第一審から上告審に至るまで敗訴したこと、第一審敗訴後相手方から損害を負担されたい旨の催告をうけたこと、上告審の判決後さらに仮処分解除の請求を受けながら仮処分を持続したこと等の事情があるときは仮処分者に故意がないとしても過失は存したと認めざるを得ない」（咸興地院永興支判大一〇・一一・一六新聞一九二四、一七）。

【349】　要旨「仮処分の本案訴訟で敗訴しながら仮処分取消の申立を受けた場合に仮処分は維持すべきものであると抗争したとすればその仮処分申請者は特別の事情のない限り少くとも過失の責を免れない」（大判昭一五・七・二六新聞四六〇一・一四）。

【350】　要旨「社会上相当の地位を有する手形債務者に対し金融業者で債務者の資産状態を調査しうるのに四年前の興信所の報告や単なる風評等に基いて財政悪化したものと信じて仮差押の申請をするのは過失がある」（東京控判昭一六・三・一四新聞四七一一・二二）。

【351】　要旨「相手方と多年代理店関係を継続してきたので多少の注意をすれば仮差押の不必要なことを知るはずであるのによく調査しないで主観的判断に基いて仮差押するのは過失がある」（大判昭一七・一一・一四法学一二・四二三）。

【352】「債務者カ資産ヲ有シ且ツ執行当時若ハ将来ニ於テ仮差押ヲ為スニ非レハ債権ノ執行ニ困難ヲ来スヘキ情況ナク更ニ債務ヲ免レンカタメ其ノ動産ヲ隠匿スル惧ナキニ拘ラス漫然ト仮差押ノ必要アリト軽信シテ仮差押ノ手続ヲ遂行シタル場合ニハ債権者ニ於テ過失ニヨル不法行為上ノ責任ナシト云フコトヲ得ス」（大判昭一八・九・七法学一三・三九〇）。

【353】要旨「本案請求の訴訟について不法行為としての故意過失がないからといって仮差押の理由である事実の主張についても故意過失がないと推認することはできない」（大判昭六・一一・一三民集一〇・九九九）。

【354】要旨「債権者が債務者以外の者に属する金銭に仮差押を行つた場合単に第三者が執達吏に異議を述べたという事実だけからは債権者の過失を認定することはできない」（大判大一〇・三・一九民録二七・五五三）。

【355】要旨「仮差押執行の際債務者から係争物件が第三者の所有物である旨を申出たとしても何等の証拠を提出しなかつたので債権者が執達吏に仮差押の執行を申し出たのは故意過失があるとはいえない」（大判昭七・一〇・二一新聞三四八五・一六）。

【356】要旨「仮差押申請者が変質、腐朽等著しく価格減損のおそれのある品を仮差押のまま放置して損害を被らせたのは過失がある」（大阪地判大一〇・六・二五新聞一八九七・一七）。

【357】要旨「稲に対する仮差押で債務者が債権者に対し蒸害鼠害を避けるべき保管方法を執達吏に求めるかまたは換価競売を速かに行う等適当な方法を講ずべき旨催告したのに放置したため競売価格の減少を見た場合には債権者に過失がある」（大判昭六・九・一五新聞三三一四・一八）。

【358】要旨「海産物販売業である仮差押債権者が仮差押の目的である丸干いわしの換価命令の申請などもしないで放置したため腐敗に至らせたときは過失がある」（福岡高判昭三〇・六・二四下級民集六・六・一一九七）。

【359】要旨「仮処分の執行に際し執達吏に虚偽の事実を告げて他人の所有権を侵害させた者は、執達吏の責任の有無を問わず不法行為の責任を免れない」（長崎控判大九・一〇・三〇新聞一七八〇・一五）。

【360】要旨「仮執行の宣言に基いて執行した後判決が変更されたとしても、仮執行が故意または過失によらない以上、これに基く差押を不法行為だとはいえない」(大判明四四・六・二二 民録一七・四二四)。

【361】要旨「すでに消滅した債権の譲受人が仮執行の宣言に基いて執行したとしても、譲受当時または執行完結前に債権消滅の事実を知りまたは知りうべきであったのに執行したのでない以上不法行為は成立しない」(山口地判月日不明新聞八六八(大二・六・八)・二二)。

【362】要旨「相続人が限定承認をしたのに、被相続人の債権者が相続人の固有財産に強制執行した場合にもそれが仮執行宣言付判決に基くのであれば故意過失がないというべきである」(東京控判大一四・五・二 新聞二四六三・一一)。

【363】要旨「仮執行の宣言に基く強制執行は後日上訴審で敗訴の判決を受けたということだけでは執行債権者の故意過失による不法行為とはならない」(福岡高判昭二六・四・三〇 下級民集二・四・五八二)。

【364】要旨「事実に合しない公正証書に基く強制執行は不法であるが、それに記載された債権を譲り受ける際事実に合しないことを知っていたとしても、それが債務名義に適しないということは日常法律事務に従事する者の間でも意見の一致しないところであるから、専門の知識のない譲受人が執行力があると思って執行したからといって過失があるとはいえない」(東京地判明四二(ワ)八九五、月日不明 新聞七三一(明四四・七・三〇)・一九)。

【365】要旨「甲が譲り受けた債権の執行として公正証書による債務名義により債務者乙の所有物に強制執行したところ、公正証書は方式に瑕疵のある委任状による無効なもので、それに基く執行は不当であるとして甲の敗訴の判決が確定した場合にも公証人が権限内において作成しかつその謄本に形式上欠缺のない以上、公正証書の無効であることを知らないことについて過失があるとは反証のない限りいえない」(大判大四・三・二四 民録二一・四二一)。

【366】要旨「第三者の物に対して差押を行った者が第三者の強制執行異議の訴に敗訴し、その判決が確定した場合にも、債務者に金を貸す際、債務者がその物件を自分の所有である旨告げた事実があるときは差押債権者に故意過失はない」(大判明三八・六・一九 民録一一・九九二)。

【367】 要旨「債務者が差押真近に差押の目的物を同居の親族に譲渡した場合差押債権者はそれを債務者の物と信ずるについて正当の理由を有する」（大判昭六・三・一九 新聞三二五九・一一）。

【368】 要旨「差押物件が債務者の宅にあり、所有者は同居している子であり、しかも差押実施当時異議を述べなかつたときは、債権者がその物の所属を確める処置を採らなかつたとしても過失はない」（東京控判昭九・四・五 新報三六七・二四）

【369】 要旨「差押に際して第三者の所有である旨の異議のあつたことを債権者が知つたとしても当時の事情資料によつてこれを信ずべき状況にあるのでないかぎり債権者にその真偽を調査する義務はない」（朝高院判昭一三・四・五司協一七・七・一二〇）。

【370】 要旨「他人所有の桐材を差押えたとしても、差押前に現場に行き近所や同業者から債務者所有の物であることを確めている以上、所有者が執行異議の訴を提起したからといつて直ちに債権者の過失を認定することはできない」（岡山地判年月日不明 民集一七・二〇五二）。 これに対して上告審判決は（要旨）「第三者が執行に対し異議の訴を提起して債権者が敗訴した以上、民法第一八九条第二項の趣旨によつておそくとも訴の提起された時から少くとも過失の責に任ずるのを相当とする」と判示した（大判昭一三・一〇・二六 民集一七・二〇四五）。 然るにその後大審院は、第一八九条第二項の悪意の擬制は第七〇九条の故意過失を擬制するものではない旨を判示した。即ち、「故意又ハ過失ニ因リ不法ニ他人ノ所有物ヲ占有シ其所有権ヲ侵害シタル者ハ之ニ因リテ所有者カ其ノ物ヨリ収得シ得ヘカリシ果実ヲ失ヒタル損害ヲ賠償スヘキ義務アルコト民法第七百九条ノ規定ニ依リ明ナリ民法第百九十条ハ悪意ノ占有者カ本権者ニ対シ果実ヲ返還シ又ハ其ノ代価ヲ償還スル義務アル旨ヲ規定セルモ此規定ハ民法第七百九条ノ適用ヲ排除スヘキ趣旨ヲ包含セス又必スシモ同条ニ先チテ適用セラレルベキモノニ非ス（当院昭和六年（オ）第四六六号同年十月十五日言渡判決参照）此等規定ニ依ル所有者ノ占有者ニ対スル請求権ハ各其要件及範囲ヲ異ニスルモ競合併存スルヲ妨ケサルモノニシテ唯所有者カ何レカ一方ノ請求権ニ依リ果実又ハ其代価ヲ受ケタル場合ニハ其範囲ニ於テ他方ノ請求権モ亦消滅ニ帰スルモノト解スルヲ相当トス故ニ若シ所有者カ占有者ニ対シ

民法第七百九条ニ基キ不法行為ヲ原因トシテ得ヘカリシ果実ヲ失ヒタル損害ノ賠償ヲ請求スル場合ニハ占有者ニ故意又ハ過失アルコトヲ必要トスヘキコト論ヲ俟タス而シテ善意ノ占有者カ本権ノ訴ニ於テ敗訴シタルトキハ其起訴ノ時ヨリ悪意ノ占有者ト看做サルヘキコトハ民法第百八十九条第二項ノ規定スルトコロナルモ此規定ハ占有ノ効力ニ関シ占有者ノ善意ナルト悪意ナルトニヨリ法律上ノ効果ヲ異ニスル場合ニ右起訴ノ時ヨリ悪意ヲ擬制シタルニ過キスシテ不法行為ノ要件タル故意又ハ過失ヲモ擬制スルモノニ非ス従テ所有者カ民法第百九十条ニ依リ占有者ニ対シ果実又ハ其代価ノ償還ヲ請求スル場合ニハ占有者ニ故意又ハ過失ノ有無ヲ問ハス本権ノ訴提起ノ時以後生スヘキ果実又ハ其ノ代価ヲ請求シ得ヘキモ民法第七百九条ニ依リ得ヘカリシ果実ヲ失ヒタル損害ノ賠償ヲ請求スル場合ニハ右起訴ノ時ニ於テ既ニ占有者ニ故意又ハ過失アルニ非サレハ其時以後ノ果実ニ相当スル損害賠償ヲ請求シ得ヘキモノニ非ス本訴ニ於テ被上告人ハ上告人等ニ対シ民法第百九十条ニ依リ果実ノ代価ノ償還ヲ請求スルモノニ非スシテ民法第七百九条ニ基キ不法行為ヲ原因トシテ得ヘカリシ資料相当額ノ損害賠償ヲ請求スルモノナルコトハ原判決及本件記録ニ徴シ明ナルトコロ原判決ハ上告人等カ大正十四年四・五月頃ヨリ被上告人所有ニ係ル係争土地七百三十三坪ヲ不法ニ占有シ以テ其ノ所有権ヲ侵害シタルカ此ノ占有ヲ為スニ付上告人等ニ何等故意過失ナカリシ事実ヲ認定シタルニ拘ラス昭和三年十月二十二日被上告人カ上告人等ニ対シ提起シタル境界確定並ニ石標及石垣撤去請求ノ訴訟ニ於テ上告人等カ敗訴シタル以上ハ民法第百八十九条第二項ニ依リ上告人等ハ同日以後ハ少クトモ過失ノ責ニ任スヘキ旨判示シ他ニ何等上告人等ノ故意又ハ過失ニ付判示スル所ナクシテ上告人等ニ同日以後右訴訟ノ判決確定ノ日迄ノ賃料相当額ノ損害賠償ヲ命シタルモノナレハ此点ニ於テ法則ノ適用ヲ誤リ理由不備ノ違法アルコト前説明ニ徴シ明ナリ（原判決破毀）」（大判昭一八・六・一九 民集二二・四九一）と判示した。

【371】　要旨「債務者の占有する動産の強制執行に際し債務者または第三者が差押物件は債務者の所有でなく第三者の所有である旨申出たとしても債務者または第三者においてその申出に沿う証拠資料を何等提出しなか

つたときは、特別の事情のない限り、右執行の遂行につき債権者に過失があつたものと推断することはできない」(最判昭三〇・二・一一民集九・二・一六四)。

【372】 要旨「執達吏が債権者の委任に基づき本件物件を差押えた際債務者の妻が同物件の他人の所有に属する旨を申出たがその証拠がないために差押を遂行したというだけで、債権者またはその代理人が立ち会つて逐一物件を指示して執達吏に差し押えさせた事実のない以上、債権者に故意過失があるとはいえない」(東京地判大五・一〇・二七新聞一一九九・一七)。

【373】 要旨「債権者の代理人が他人の所有物であるとの債務者の申出があるのに執達吏がその差押をするのに任せたとしてもその者に過失なく従つて過失の責を債権者に帰することはできない」(大判大二・六・二六民録一九・四八八)。

【374】 要旨「執達吏代理が債務者の拒否にもかかわらず自分の意見に基づいて債務者の占有する他人の物を債務者の所有と認めて差押えたときは債権者に故意または過失によつて他人の権利を侵害した事実はない」(名古屋区判大五・八・二二新聞一一七〇・二九)。

【375】 要旨「強制執行に際し相手が人違いでないかと疑われる事情が十分にあつたのに調査をしないで漫然差押をしたのは債権者側に過失がある」(東京地判大一四・一一・九評論一五・民訴三〇四)。

【376】 要旨「第三者異議の訴の訴状を受けながら債権者が調査しないで執行を遂行するのは過失がある」(東京区判大一五・一一・一二評論一六・民訴三三五)。 同趣旨(東京控判昭一一・七・一九新聞一一七四五・九(【375】の控訴判決))。

【377】 要旨「債権者が第三者の所有物を差押えたため、第三者が異議の訴を提起し、債権者が任意に差押を解除した後においてふたたび債権者がその第三者の所有物を差し押えたときは債権者に過失があると推定される」(朝高院判昭一五・五・三一評論二九・民九五六)。

【378】 要旨「家屋明渡の強制執行の際第三者の所有に属する事実を告知されていたのに第三者の明渡猶予の申入れを明渡の妨害行為と軽信しなんら調査しないで債務者の所有物として執行したのは過失がある」(大判昭一八・

二・一五法学二二・七九七)。

【379】　要旨「債務者の占有する動産を差押えたところ第三者から右動産は自己の所有に属し執行異議の訴を提起した旨の通知があつたにかかわらず右事実の真否を調査せずに競売手続を遂行したときは債権者は第三者の権利侵害につき過失の責を免れることはできない」(最判昭三〇・一一・二五民集九・一二・一八八五)。

【380】　要旨「二番抵当権の存在を知つている一番抵当権者甲と不動産所有者乙とが協力して一番抵当権を抹消し、ついで乙が他の債権のために抵当権を設定したために二番抵当権者の第三九二条に基く代位権が侵害された場合甲乙は代位権侵害について少くとも過失があると推定される」(大判昭五・九・二三新聞三一九三・一三)。

【381】　要旨「抵当権者が競落代金から弁済をうける際に抵当質権を一部弁済して代位権を有する者があるのを知つている場合には代位権行使の機会を与えるように注意義務を尽さなければならぬ」(大判昭一一・一一・三〇新聞四〇八〇・一四)。

【382】　要旨「他人の家屋が自分の使用地域を侵害したと主張して返還を訴求するには、専門の技術家をして測定させる等十分の注意をしなければならない」(東京控判大二・一〇・八新聞九〇三・二三)。

【383】　要旨「不動産の譲受人甲が譲渡人乙名義の抵当権設定登記は乙の周知しないところで無効である旨の通知を乙から受けた事情等あるときは、甲が抵当権設定の無効を信じ自己の権利保全のため訴を提起したのはたとえ敗訴の判決を受け確定したとしても過失はない」(大判昭六・四・二四新聞三二七〇・七)。

【384】　要旨「所有権移転事実に相違があるとしても登記簿の記載に基いて詐害行為取消の訴を提起し仮処分をしたのは過失ではない」(東京控判大一〇・九・二七新聞三九〇六・五)。

【385】　要旨「手形に基く請求権があると過失なくして誤信し、相手方の主張する免除の特約を否認して抗争を続けた場合敗訴したとしても故意過失があるとはいえない」(大阪控判昭一三・七・一四新聞四三二四・七)。

【386】　要旨「債権回収の方法として違法にも家督相続無効確認等の訴を提起したが、弁護士に研究を依頼しその意見に基づいて訴をなしうるものと信じて弁護士に訴を提起させたのであれば故意過失はない」(大判昭一六・三・二六

新聞四六九八・二六）。

【387】要旨「土地の賃借人甲が自己所有の地上建物を無断で譲渡したときは賃貸人乙が右賃貸借を解除しうる旨の特約がある場合に、甲が湯屋営業権譲渡の手段としてその手続完了まで一時建物を第三者に譲渡した場合には、これは右の特約のうちにふくまれないとして、これを理由にして乙が甲に対してなした解除の意思表示の効力を甲が争つて、その結果甲が敗訴したとしても争つたことについて過失はない」（東京地判昭一六・九・二四評論三一民一七三）。

【388】要旨「株券未発行の株式の譲受人が対抗要件を備えないのに株式に対する強制執行に対し執行異議の訴を起し執行停止の申請をして敗訴の確定判決を受けた場合、執行者に対する不法行為につき過失がある」（大判昭一〇・二・七新聞三八一一・一二）。

【389】要旨「甲の債権者乙が債権保全のために仮差押した家屋について、丙が解崩に着手する際、乙の仮差押のある旨の申出があつたのに、仮差押の有無を調査しなかつたのは、乙の権利の侵害について過失がある」（長崎控判明三九・一二・一七新聞三五一・八）。

【390】要旨「物置の所有者甲が人夫を使つてその取こわしを行つた際、前所有者乙の債権者丙が、物置は差押の目的物である旨を告げて取こわしの中止を求めたのに対し、乙は裁判所から通知がないという理由でこれを拒否し（競売開始決定の送達をうけたのは取こわしの翌日）、また甲は当時現場にいなかつた場合には、右取こわしについて甲に過失があるとはいえない」（大判昭一五・五・八新聞四五八〇・七）。

【391】要旨「調査をすれば組合員でないことを容易に知ることができるのに、組合員であることを前提として組合が過怠金処分に付し過怠金請求訴訟を提起し、告訴し過料処分を申告するのは過失である」（大阪地判昭一四・二・一〇新聞四四〇三・九）。

【392】要旨「商標権の譲受人が第三者に対抗しうるものと信じ商標権侵害の告訴をすると告げて第三者に示談させた場合、第三者に対抗しえないことが詳細な事実の調査と至難な法律の解釈とをまつて始めて知りうる

ときには過失にならない」（東京控判大三・一〇・七 評論三諸法二四一）。

【393】 要旨「土地の所有者が建物登記申請書添付の証明書を作成するのに建物の有無を調査しないのは虚偽の保存登記申請につき過失の責を免れない」（大判昭五・一二・一七 新聞三二一五・九）。

【394】 要旨「健物の買受人に対して地主が他人には建物保存登記に必要な地主の証明書を交付しない旨を了解していながら地主が他人に証明書を交付するのは地上の未登記建物の所有権喪失について不注意の責を免れない」（大判昭八・六・二九 裁判例（七）民一五七）。

【395】 要旨「登記義務者とは面識のない者がその依頼に応じて登記申請にあたり必要な登記済証に代る登記義務者の人違いでないことの保証書を作成したのは過失の責を免れない」（東京控判昭一五・七・六 評論二九諸法五四〇）。

【396】 要旨「登記義務者の代理人から登記済証に代わる保証書の作成を依頼されたのに対し代理権の有無を十分調査することなしに保証書を作成したのは不動産登記法第四十四条の趣旨に照して善良なる管理者の注意義務違反たる過失がある」（大判昭二〇・一二・二二 民集二四・一三七）。

（B） 第二の場合としては、行為者が、自己の行為をこのまま放置すれば、または継続すれば、違法の結果の発生することを予見し、或は発生するかも知れない可能性を認識し、それを積極的に防止する行為をなす場合にその防止行為が適切でないことが一般に行為者の標準弁識力をもつて判断すれば認識されるべきであるにもかかわらず、たまたま行為者がそれを認識しないでその適切でない防止行為をした結果、違法の結果の発生を防止することができなかつた場合であり、行為者に通常期待される注意義務の違反があるから過失があるという場合である（例えば【397】）。この場合は前述の第一の場合と異つて、一応違法の結果の発生について認識があるけれども、その発生を許容しないで積極的に防止しようとする点よりみて故意はなく、また客観的に不当な防止行為を主観的に適当なものと信じている点に過失があるので所謂認識のある過失はこれに含まれる。だから判例は、この場合にも当該行為者としての一般的弁識力において適当と判断されそれをすることが社会的に期待される防止行為をなした以上、そこに過失はないとみる。この点は特殊の危険業務に従事する者については前述したが（【102】参照）。すべての場合に同様に解すべきである（【398】乃至【403】）。また防止行為自体は適切であつても適切な時期にそれをなさなかつたために防止の効果を挙げることのできなかつたときは、その適切な時期を知ることができるべきであるのに知らなかつたため防止行為の時期が適切でなかつた限り過失ありと解すべきである。これは適切な防止行為も適時になされないことによつて効果を挙げないことは、結局防止行為として適切でなかつたといえるからである。また防止行為が適切であるか否かについて、通常の弁識力を以てしても争のある程度の場合には、より一層適切な防止行為をとるように注意を払わない限り過失があると解すべきである。そして危険の迫つた過失者のとつた処置がなかつたら更に多くの災害を生じたであろうということは、当初危険な事態に立到つたことに過失がある以上、このとつた処置が適切で過失がないという理由にもならないし、過失の責任の軽減の理由にもならないと判示されている（大判昭八・七・三一民集一二・二四二一）。之に反し、防止行為が不可能なとき即ち行為者に適切な防止行為を期待することが社会的にできないとき、は過失はないと解すべきである（【404】、【405】）。

また危険防止行為が適切でなかつた場合には、仮令被害者の側に過失があつても、それによつて加害者の過失の存在は否定されない（【406】、【407】）。

【397】 要旨「製錬工場から出るガスが有毒であることを予見し、かつこれを防止することのできる方法があつたのに故意過失によつてその方法を講じないで他人の作物に害を与えたときは賠償責任がある」（大阪控判大八・一二・二七新聞一六五九・一一）。本判決は控訴審判決（前掲【94】）によつて結果において支持されたが、上告審判決（前掲【102】）において破毀された。但し破毀の理由は「上告会社において硫煙の遁逃を防止するに相当な設備を為したか否かを審究せずして漫然上告会社を不法行為者と断じたのは不法行為に関する法則に違背する」というのである。これは控訴審が「控訴人ハ硫煙ノ遁逃ヲ防止スルニ付キ今日技術者ノ為シ得ル最善ノ方法ヲ尽セルカ故ニ控訴人ニ責任ナシト論スレトモ控訴人ノ製造シタル硫煙カ被控訴人ノ農作物ヲ害シタル以上ハ其硫煙ノ遁逃ハ控訴人ノ防止スルヲ得サリシモノナルト否トニ拘ハラス被控訴人ノ被害ハ控訴人ノ行為ノ結果ナルカ故ニ控訴人ハ之ニ対シ責任ヲ有スルコトハ多弁ヲ要セス」と判示したものに対するものである。従つて右のような相当な設備をしなかつたことを事実として認めた本判決（第一審）に対しては右の破毀の理由は直接的には必ずしも否定的意義をもたないことを注意すべきである。

【398】 要旨「最善の方法を尽して機械の据付および運転から生ずる損害を予防する設備をしたのに損害を生じた場合は故意過失がない」（大判大八・五・二四新聞一五九〇・一六）。

【399】 要旨「電車の軌道内に陥没箇所があつて通行中の自動車が陥落し電車と衝突した場合、電車が急停車の処置をとつたが自動車との間隔が近すぎて衝突したのであれば運転手には過失はない」（東京地判昭一五・一〇・二二新聞四六七三・九）。本判決は前示【187】と同一判決であつて、運転手の過失は否定するが電車経営者の交通安全のための相当施設義務をみとめる。

【400】 要旨「乗客が満員電車の発車進行中飛び乗り車掌は急停車の処置をとつたのについ落死亡した場合

車掌に過失はない」（東京地判昭三・一二・一七新聞二九三六・四）。

【401】　要旨「電車信号手の夜間の信号方法は青色燈を以て安全、赤色燈を以て危険の意味を表はすのが一般に通ずる慣例であるから、仮令被告会社において特に規約を定め青色燈を急激に打振るときは危険を表わす意味を示すものとしていたとしても、それは一般通行の車馬及び通行人に対するものとしては不穏当である。信号手は一般人に了解し得べき信号をなすべきであるにもかかわらず危険を示すために青色燈を急激に振ったので原告自動車運転手が却って安全信号と思ったのは寧ろ当然で信号手に過失がある」（東京控判大三・七・九新聞九六五・二三）。

【402】　要旨「衝突の相手船舶が通常予期できない方向転換をしたため回避の余裕なく直ちに機関を停止し激左転の措置を講ずる等衝突回避のため最善の努力をしたが発効しなかった場合その船長には過失はない」（岡山地判昭二九・九・二七下級民集五・九・一六二八）。

【403】　要旨「虫様突起炎はその病状多様で時には胃腸疾患と紛しいが、医師が相当の注意をすれば少くとも四八時間内には診断可能で適当な措置が講ぜられるものである。だから本件において、はじめ胃カタルと診断した医師がその後相当の注意を用いて腹膜炎発病後四八時間内に盲腸炎と腹膜炎との併発症と診断して外科手術を受けさせた場合過失はない」（東京地判昭一五・一二・一六評論三〇民一七一）。

【404】　要旨「他人の土地を借りうけて試錐作業中ボーリングの先端を埋没させた場合にも、引上げに巨額の金を要しまた困難でもある場合には、それは試錐実施者に要求しうべきことではなく、引上げを実施しないことについて故意過失があるとはいえない」（東京控判昭一四・七・二七評論三〇民三九二）。

【405】　要旨「電車の自動式とびらの故障のため手動式で開閉し、施錠設備を欠いていたとしても、終戦後の資材その他の関係でやむを得なかったのであるから、会社に設備をしなかったことについて過失はない」（大阪地判昭二五・八・八七下級民集一・八・一二〇二）。

【406】　要旨「伸線会社が適当な危険防止方法を講じなかった過失がある以上、負傷した職工の側に過失があ

っても伸線会社の過失を否定する理由とはならない」(安濃津地判大一〇・八・一三新聞一九一八・一七)。

【407】 要旨「電車線路の横断者に立入禁止の告示を侵した過失があつても車掌が反対側面に対する注意を怠つた過失を危害の一原因とすることは差支えない」(大判大一一・一〇・七判例彙報三三四上・民一)。

(C) 第三の場合としては、一般に標準的弁識力を以てしては、違法の結果の発生は予見できないが、発生するかも知れないという可能性の存在は認識することができる場合に、行為者がこの違法の結果の発生の可能性を認識さえしないか或は可能性を一応認識はしても漫然それが現実には発生しないと信じて、その発生を回避する容態を予めとらないことは、注意義務の違反として非難されるべき過失があるというのである。これは違法の結果の発生自体ではなく、その可能性を認識すべきにかかわらず認識しないか、或は認識してもそれを否定すべきでないにもかかわらず理由なく漫然それを否定して、その発生を回避する態度をとらない点に注意義務の違反があるのである(【408】乃至【434】)。だから通常の弁識力を以てしてはその違法の結果の発生の可能性が認識されないか、認識されても他の原因から当面の事情のもとではおそらく発生しないだろうと考えることに合理的根拠がある場合には、防止行為をとらなかつたことに過失がないといえる(【435】乃至【440】)。従つて右の可能性が認識されている場合に被害者に注意義務があるということは、彼が注意を払うであろうからおそらく損害は惹起しないだろうと考えること従つて防止行為をしなくても注意義務違反ではないと考えることの合理的根拠にはならない。従つてまた、被害者の注意義務違反により違法の結果の発生の可能性が現実化せんとすることの認識されるに立到つたときは、加害者は最善の防止行為をなすべきであり、しかも最善の防止行為をしてもその時期がおくれたために防止の効果を招来することができなかつたときは、前述のように結局防止行為が適切でなく適時に適宜の処置をしなかつた注意義務違反即ち過失がある(【441】)。

【408】 要旨「過失は、行為が違法の結果を生じうべきことを認識しながらその結果を生ずることはないであろうとの希望を以て相当の注意を欠く場合ばかりでなく、違法の結果が生じうるとの認識がなくとも相当の注意をすればこれを認識しかつ避けえた場合にも存する」(大判大二・四・二六民録一九・二八一)。

【409】 要旨「賃貸人が家屋がその敷地の所有者の土地明渡請求権保全のため仮処分の目的となつていることを知りながら、これを隠蔽して賃貸し、しかも家屋に対する将来の強制執行に対し適当な予防措置を講じなかつたため、家屋に対して強制執行がなされ賃借人が営業を継続しえない状態に陥つたときは、賃借人の家屋の使用収益は賃貸人の責に帰すべき事由により不能となつたものである」(東京控判昭五・七・二二新聞三一七〇・七)。

【410】 要旨「賃借人が抵当権者に対抗しえない長期賃貸借契約を締結した上転貸した場合は抵当権実行による競落の結果第三者が所有権を取得した後は、転貸人の転貸借上の債務は転貸人の責に帰すべき事由により履行不能となつたものである」(東京控判昭一〇・六・一〇新聞三八六五・一〇)。

【411】 要旨「引火の虞ある場所に燃え易い板蕊を積み上げ放置したため板蕊に引火して火災を起し、委託をうけた物品を焼失したときは該物品に加工して販売先に送付する債務は債務者の責に帰すべき事由により履行不能となつたものである」(東京地民判昭一二・一二・一三新聞四一二〇・一二)。

【412】 要旨「高圧電線架設の工作物に危険をひき起すおそれのある状態を生じたのに除去する方法を講じないときは、工作物の設置または保存に瑕疵がありかつ重大な過失がある」(大判昭八・五・一六民集一二・一一七八)。

【413】 要旨「確定判決による敗訴者は勝訴の確信をもつていたとしても起訴の時から悪意の占有者とみなさ

れるから訴訟係属中に占有物を第三者に売却するのは故意過失がないとはいえない」(高松高判昭二八・七・八下級民集四・七・九八四)。

【414】 要旨「停留所でない地点で、徐行中の乗合自動車に乗車しようとする者が右足を昇降口にかけ次いで左足をかけようとした場合に、運転手が自動車を進行させても危険のないことを確かめずして急激に進行せしめ、よつて該乗客が顛落したのは運転手の過失である」(東京地民判昭四・一二・二六新聞三〇七三・四)。

【415】 要旨「満員バスがとびらを閉めないまま発車し徐行しているとき、運転手はバックミラーに注視し、無理な乗り方をしている乗客があれば下車させる機会を与えなければならない。これに違反して損害が生ずれば運転手に注意義務違反の過失がある」(東京地判昭二七・四・二三下級民集三・四・五四五)。

【416】 要旨「自動車の運転手は横断者を認めたときは、その者が自動車の疾走によつて逃避して度を失うことのあるのを顧慮して徐行その他応急の処置をとらなければならない」(大判昭六・四・二八新聞三二七二・一五)。 同趣旨(大判昭一〇・七・六刑集一四・七八〇)。

【417】 要旨「自動車の運転手は停立者の側面を通過してしまうまで最徐行を継続するか、停立者が安全な位置に退避したことを確認した上で最徐行を解くべきである」(大判昭一二・六・二三判決全集四・一三・二六)。

【418】 要旨「自動車の運転手は先行する自動車の行動に注意しもし先行車が事故を避けるため急停車した場合には急停車または徐行できるよう速力の調節および両者の間隔等に注意すべく追い越す場合にはなおさら操車方法に注意しなければならぬ」(大判昭八・七・七刑集一二・一一八四)。

【419】 要旨「貨物自動車の運転手が荷馬車を追越せると軽信し同一速力で進行したために、ひき馬を驚かせて事故を起したときは、業務上の注意義務を怠つたものである」(大判昭一〇・六・一九新聞三八五七・一五)。

【420】 要旨「自動車の運転手として従業中の者は自分で運転すべきであつて、他人ことに無免許者に運転させてはならず、やむを得ず他人に運転させた場合は自分で運転する場合同様危険の発生を防止する注意をする義務がある」(東京地民判昭一五・一・二五新聞四五二七・九)。

【421】要旨「電車の運転は前方の軌道付近に幼児がいるのを認めたときはとくに周到な注意をすべきで操縦の経験能力のない見習員に代つて自分が運転しなければならない」（大判大一三・九・一一刑集三・六一八）。

【422】要旨「工場経営者は機械等の中に人命の危険をひき起すおそれのあるものが存するときは危険防止施設をしなければならない」（名古屋地民判年月不明新聞三〇八九（昭五・三・三）・一〇）。

【423】要旨「深い坑内で坑道切拡げ作業と保線作業（地下げ作業）とを同時に同一場所で行うのは岩石のくずれる危険を招くにもかかわらず保安係は漫然危険なしと信じ支柱の設備その他相当の危険防止の方法を講じないのは業務上過失がある」（長崎控民判昭一四・九・二二新聞四四七五・五）。

【424】要旨「行政官庁が電気会社の施設が電気事業取締規則に適合するかどうかを判定してその営業を許可したからといつて会社の危険予防設備不十分による損害賠償責任を免脱させるものではない」（大判明三二・一二・七民録五・一一・三二）。

【425】要旨「医師が患者を誠実に診断することなく漫然放任し適宜の処置をしないのは過失がある」（札幌地判昭二七・一一・二五下級民集三・一一・一六四六）。

【426】要旨「患者に腸チブスを疑うべき病状があり、付添看護婦から腸チブスではないかと質問されながら調査もせずそれを否定し看護婦に感染させたのは医師の過失である」（大阪地民判昭一五・一一・二〇新聞四七八六・三）。

【427】要旨「有毒アルコールを販売した者は販売先に対して相当の注意をして危険予防の処置をとらないときは過失がある」（大阪控判大七・一二・一五新聞一三八六・二〇）。

【428】要旨「湯屋の脱衣箱の鍵が共通のもの一箇しかないときは番人およびこれを使用した浴客は危険防止の手段を講じないときは過失がある」（大判昭三・六・一三新聞二八六四・六）。

【429】要旨「貨物引換証が発行された場合には運送人はたとえ荷送人から荷受人に対する売買契約の取消を告げて返還を求められたときにも何人かの権利を侵害することがないかを調査する業務上の注意義務がある」

(大判昭七・三・一八民集一一・三二七)。

【430】 要旨「小学校の運動場のろく木にはしごを立てかけたまま危険防止行為を講じなかつたときは、たとえ教師が許可なくして運動具所在場所に立ち入ることを生徒に禁止していたとしても故意過失がないとはいえない」(大判大七・一〇・二一民録二四・二〇〇〇)。

【431】 要旨「水深一メートル九五の競技用プールの管理者が年齢一一歳の児童に対し入場を禁ぜずまた水泳熟練者であることも確認しないのは児童の水死について過失がある」(宇都宮地判昭二九・四・五判例時報二八・一七)。

【432】 要旨「執達吏が債務名義にある債務者と同一人であるかどうかを調査すべきにかかわらず漫然同一人と考え調査をしないで債務者でない者に執行したときは重大な過失がある」(東京地民判大一四・一一・九評論一五・民訴三〇四)。

【433】 要旨「仮装の法律行為に基く虚偽の債権を真正の債権として譲渡した者は、善意の譲受人がその債権を相殺などに利用することを予知しなかつたとすれば過失がある」(大判大七・一〇・一九民録二四・一九九三)。

【434】 要旨「線引小切手を持参して線引のない持参人払の小切手に交換を依頼した場合、小切手の振出人がなんらかの不正行為または依頼者の主人の意に基かない不当の行為ではないかと疑念をもたなかつたのは重大な過失であるからその主人に対して賠償する義務がある」(大判昭一三・五・一四判決全集五・一一・九)。

【435】 要旨「法律解釈に関する原則(上告裁判所の判例)によつて解釈した以上、他に過失があると認めるに足る事情のないかぎり反対の見解があつても直に過失があるとはいえない」(大判昭一一・五・二九新聞四〇〇七・一二)。

【436】 要旨「鉄道線路の踏切に番人をおくことについて主務官庁がその必要を認めなかつた場合は、反証のないかぎり番人をおかなかつても鉄道会社に過失はない」(東京控判明四四・一〇・二三新聞七五七・二一)。

【437】 要旨「屋内に施設された低圧電線の装置については、電力供給業者は原則として年一回の定時に試験検査をして危険の予防に備えていれば重大な過失はない」(東京地民判昭一一・九・二九新聞四〇八七・一〇)。

【438】 要旨「医師の資格のない者が代診としてなした診断治療が適切である限りは、つねに過失によるもの

とはいえないし、またこの者を代診とした医師も過失ありとはいえない」（東京控判大一四・二・二八新聞二四〇一・六）。

【439】 要旨「貨物の受寄者が貨物を上屋外に出したため雨のため濡損したとしても、荷造の外観から判断して上屋外に搬出しても内容に濡損を生じないと信じられる場合は過失はない」（神戸地判昭二・六・九新報一一九・二二）。

【440】 要旨「仮装売買によつて所有権の移転登記をした者は他に特別の事情がない限りは後日仮装の買主が資産があるように誤信させて他人から無担保で借金するに至ることを認識しまたは認識すべきであつたとはいえない」（大判昭六・一〇・一一法学一・五一六）。

【441】 「電車カ一定ノ方向ヲ取リテ進行ヲ為スニ際シ其前方ニ於テ電車線路ニ向ヒ進行スル通行人アリテ各其通行ヲ継続スルニ於テハ線路内ニ於テ交叉衝突ヲ為スヘキ地位ニ在ル場合ニ於テ電車ノ運転手ハ此衝突ヲ未然ニ予防スルカ為メ前方電車線路ニ向ヒ進行スル通行人アルコトヲ認識シタルトキハ常ニ必ス電車ノ進行ヲ停止シ通行人カ線路ヲ通過スルヲ待チテ其進行ヲ継続スル義務ヲ有スルヤ否ヤハ本訴ニ於テ決スヘキ重要ナル前提問題ナルヲ以テ之ヲ按スルニ現ニ通行シツツアル電車ノ前路ニ於テ線路ヲ横断セントスル通行人ハ衝突ノ虞ナキ時期ヲ選択シテ線路ニ入ルコトヲ要シ衝突ノ危険存スル場合ニ於テハ電車線路ノ側面ニ佇立シ電車ノ通過スルヲ待ツテ其線路ニ入ルヘク運転手ハ進行中ノ電車ヲ停止シ通行人ヲシテ先ツ線路ニ入リテ之ヲ横断セシメ其通過スルヲ待ツテ電車ノ進行ヲ継続スルノ義務ナシ換言スレハ進行中ノ電車ノ前面ニ於テ通行人カ線路ヲ横断スルニ因リテ生スル衝突ノ危険ヲ予防スルノ責任ハ主トシテ通行人ニアリ線路ヲ横断セントスル通行人ハ常ニ必ラス此危険ヲ避クルカ為メニ周到ノ注意ヲ為ササルヘカラス蓋シ電車カ交通機関トシテ公許セラルル以上ハ各人ハ其進行ヲ妨害スルノ行為ヲ避止セサルヘカラサルノミナラス電車ノ操縦進退ハ通行人ノ動作ノ如ク自由ナラサルヲ以テ通行人ニ於テ可及的衝突ノ危険ヲ予防シ電車ノ進行ヲ円滑ナラシムルハ都市ノ交通上必要ナルヲ以テナリ故ニ電車ノ運転手ハ其進行ノ前路ニ当リ線路ノ方向ヲ取リテ歩行シ来ル通行人アルコトヲ覚知スルモ其通行人カ危害ヲ避クルニ必要ナル注意ヲ為シ電車ノ通行スルヲ待ツテ線路ヲ横断スヘシト予期スヘキ理

由アルヲ以テ此一事ノミヲ以テ特ニ電車ノ進行ヲ遅緩ナラシメ又ハ其進行ヲ停止シテ万一ノ場合ニ於ケル不期ノ衝突ニ備フルノ注意ヲ為スコトヲ要セス従テ通行人カ運転手ノ予想ニ反シテ線路内ニ入リ為メニ衝突ヲ来スモ過失ノ責ハ通行人ニ在リ運転手カ電車ノ速力ヲ減シ又ハ之ヲ停止シテ衝突ヲ未然ニ防止セサリシヲ理由トシテ運転手ニ過失ノ責アリト謂フコトヲ得ス然レトモ運転手カ電車ヲ操縦スルニ当リテハ常ニ其進路ノ前方ヲ警戒シ危害ヲ未然ニ予防スルノ周到ナル注意ヲ為スコトヲ要スルハ其業務上ノ義務ナルヲ以テ通行人カ其姿勢態度其他ノ情況ニ依リ電車ノ進行ニ介意セスシテ線路ヲ横断セントスルノ危険アリト信スヘキ理由アルトキハ通行人ニ過失ノ責アルト否トニ拘ハラス衝突ヲ避クルニ必要ナル注意ヲ為スノ責アリ臨機電車ヲ停止シ又ハ其速力ヲ減シ通行人ト電車トノ交叉点迄ノ間ニ於テ電車ヲ停留セシメ衝突ヲ予防スヘキ応急処分ヲ為ササルヘカラス従テ運転手カ既ニ此危害ヲ認識シ又ハ之ヲ認識シ得ヘカリシニ之ヲ看過シテ電車ノ進行ヲ継続シ因テ通行人ヲ傷害シタルトキハ運転手モ亦過失ノ責ヲ免カルルコトヲ得サルモノトス（中略）被告（運転手）ハ踏切ヨリ南方数間ノ地点ニ於テ盲者ナル按摩業坂本吉太郎カ東方ヨリ該踏切ニ向ヒ歩行セルヲ見得ヘキニ拘ラス之ニ気付カスシテ進行ヲ継続シタル為メ電車カ該踏切ノ中央ヨリ南方僅カニ一間許リ電車ノ救助網ト坂本吉太郎ト僅カニ一尺許リ離ルル場所ニ至リタルトキ漸ク吉太郎ノ踏切ニ差掛レルコトニ気付キ急停車ノ処置ヲ為シタルニ惰力ノ為メ前進シ救助網ヲ踏切内ニ入リ来リタル吉太郎ニ衝突セシメ因テ同人ヲシテ其端ニ顛倒シ後頭部其他一箇所ニ挫傷ヲ負ハシメタルモノナリトス右原院ノ認メタル事実ニ依レハ被告カ被害者吉太郎ノ踏切ニ向ヒ歩行セルヲ認識シ得ヘカリシニ拘ハラス其前進ヲ継続シタルコトハ明白ナルモ被害者吉太郎カ踏切内ニ入リテ之ヲ横断セントスルノ危険アルコトヲ被告ニ於テ適当ノ時機ニ認識シ得ヘカリシヤ否ヤニ付キテハ原判文記載ノ事実ニ依リ之ヲ認ムルコトヲ得ス而シテ本件ニ在テ被告ノ罪ヲ断スルニハ此点ニ付キ審究ヲ遂ケ之ヲ肯定シタル場合ニ於テ初メテ被告ニ過失ノ責ヲ負ハシムルコトヲ得ヘキモノナルニ原判文ニ認ムル事実ニ依リテハ之ヲ認ムルニ由ナシ蓋シ小児盲人ノ如キ衝突ノ危険ヲ未然ニ予防スルノ智能ヲ欠ク者カ電車線路ニ向ヒ進行スル場

合ニ於テハ常ニ衝突ノ危険アリト認ムヘク運転手ハ直チニ之ヲ予防スルカ為メノ応急処分ヲ為スコトヲ要スルヲ以テ本件ノ被害者吉太郎ノ盲目ナルコトカ其当時被告ニ於テ認識シ得ヘカリシモノトスルトキハ被告カ直チニ電車ヲ停止スルノ処分ヲ為ササリシハ其過失ニ帰スヘク又吉太郎ノ盲目ナルコトカ其当時被告ニ於テ認識シ得ヘカラサリシモノトスルモ其姿勢態度其他ノ情況ニヨリ吉太郎カ線路ヲ横断スルノ危険アリト信スヘキ理由アリタルトキハ電車ノ進行ヲ停止セサリシ被告ニ過失ノ責アリト雖モ然ラサル場合ニ於テハ被告カ電車ノ進行ヲ継続シ之ヲ停止セサルモ被告ヲシテ過失ノ責ヲ負ハシムルヲ得ス総テ是等ノ点ハ判文上之ヲ明確ナラシムルコトヲ要スルニ原院カ事茲ニ出テスシテ漫然盲者ナル坂本吉太郎カ東方ヨリ該踏切ニ向ヒ歩行セルヲ見得ヘキニ拘ラス之ニ気付カスシテ進行ヲ継続シタルヲ理由トシテ被告ニ過失ノ責アリトシ刑ヲ言渡シタルハ理由不備ナル失当ノ裁判ニシテ上告論旨ハ理由アリ原判決ハ破毀ヲ免レサルモノトス」（大判大三・三・一一刑録二〇・二七八）。

三　第三に、不注意によつて違法の結果を「他人の法益」の上に発生せしめることである。他人の法益とは法によつて保護された利益のうち他人に帰属するものである。もともと民事責任においては、他人の法益を侵害する（損害を惹起する）ことのうちにのみ違法性があるのであつて、行為そのもの（結果と無関係に観念される行為乃至容態）は非難の対象とならないから、他人の法益でない自己の法益の上に違法な結果を発生せしめるということは観念上あり得ない。何故ならば各人は自己の利益を自ら減少せしめない義務を負わないからである。だがこのことは一般に行為者は自己の法益を不注意によつて自らを侵害する結果となつても一切何等の非難にも価せず従つて責任はないということではない。何故ならば被害者は自己の適切でない行為によつて加害者に過重な責任を帰属せしめるからである。即ち被害者は自ら不利益を避ける注意義務はなくても、自らが防止しようとすれば防止できたものを、かかる行為に出ない結果損害を蒙つたとすれば、被害者が損害防止行為をしないことは結局加害者にそれだけの量に相当する賠償責任を帰属せしめるからである。そこで被害者は、その意味で自己の上に損害の惹起することを防止するために注意を払う義務がある。かかる義務に違反することは過失であつてこれについては民法は過失相殺の原則をみとめているが（民法七二二条・四一八条）、かかる場合には加害者は被害者に対して賠償を請求することができる（大判昭一五・四・五民集一九・六六八）【442】。だから不法行為に基く損害賠償の訴について被告に責任がないとするには、被告に故意がないことは勿論、過失も存在しないことを要する（大判大三・四・二刑録二〇・四三八）。同趣旨（大判大一三・六・二七判例彙報三五・下民一三五）。

【442】　要旨　「前行車及び後行車双方の運転手の過失によつて追突事故が発生しそれぞれ損害を被つた場合に、両者が事故発生について同程度の原因力を有するときは、それぞれ自分の損害の半額を相手方に対して賠償請求することができる」（東京地判昭二八・八・一〇下級民集四・八・一一三三）。

三　過失の程度

民法に通常過失という場合には、重過失はもとより軽過失をも含むものである（東京控判明四二・七・一新聞六〇一・一〇）。重過失とは何人もなすべき注意を怠ることをいい（東京控判年月不明・新聞六六三（明四三・九・五）一四）、相当の注意をしなくても違法有害の結果の予見が容易である場合にこれを看過して回避行為をしないことをいう（大判大二・一二・二〇民録一九・一〇三六）。民法は重過失については特に個々別に規定している（九五条・四七〇条・六九八条）。そして失火の責任は重過失を要件としているが、それは失火については古来の慣習に従いかつ失火者に巨額の損害を賠償させるのを避

442

けるために、「失火ノ責任ニ関スル法律」(明三二年法四〇号)。によって民法七〇九条の適用を排除したのである(大判明四〇・三・二七新聞四二二・一七)。なおこの法律は船舶の失火についても適用がある(大阪控判明三六・五・四新聞一三九・八)。ただし失火の責任は「過つて火を失し火力の単純な燃焼作用によつて財物を損傷滅燼せしめた場合」の責任を指し、「発火薬その他の物質を爆発せしめその爆発より生ずる強圧力の作用に因り財物を破砕毀壊するの所為は、その爆発が火力の燃焼作用に起因する場合であつても別種の行為に属し、ここに所謂失火には含まれない」だが「ただ失火に因つて生じた火災が延焼して火薬その他の物を爆発せしめた場合は、その爆発は要するに火災中における一つの事変に過ぎないので失火者は単に失火の責任のみを負担しその爆発については特にその責に任じない」(大判大二・二・五民録一九・五七)。

また判例は電燈設備路線の欠陥による発火、火災は電燈会社の重過失と一応推定する(東京地判明三七・三・一新聞二七五九・一)。そしてこの場合には民法に定めた不法行為の責任を免れないのであるから、また民法第七一七条が適用されるべきであるとする(大判昭七・四・一一民集一一・六〇九)。但し電線から発火したということのみで直に電燈供給者に対して重過失の推定を下すことはできない。何故ならば電流のため電線より発火するのは必ずしも原因が一様ではないからである【443】。

また判例は、運送人の過失で貨物が滅失したときは通常は債務不履行および不法行為となるから、荷送人が高価品運送に際し種類価額を告げなかつたために運送人が債務不履行の責任を負わない場合にも(商五七八条)、一般普通人の注意を怠つて所有者に損害を生じさせた不法行為上の責任を免れないとするが(大判大一五・二・一二民集五・一〇四)。下級審の判決には運送品が高価品であることを荷送人が明告しなかつたときは、運送人に悪意または重過失がある場合を除いて、運送人に不法行為による損害賠償を求めることはできないとするものもある（釧路区判昭二・九・一二新聞二七四三・六）。これは商法五八一条の反対解釈から悪意または重過失のないときは免責されることが不法行為責任にも及ぶとするものであつて、運送営業に関する規定の性質上疑問がある。

【443】「電流ノ為メ電線ヨリ発火スルニ至ルハ其原因必スシモ一様ナラス或ハ設備ノ不完全ナルニ基クコトアリ或ハ電気器具ノ使用方法其宜シキヲ得サルニ出ツルコトアリ或ハ雨漏其他ノ湿潤若クハ鼠害ノ為メ生シタル電路ノ故障ニ因ルコトアルヲ以テ電線ヨリ発火シタルノ一事ニ依リ直ニ電燈供給者ニ対シ過失ノ推定ヲ下スヲ得ス況ンヤ重過失ノ推定オヤ」（東京控判明三九・九・二八新聞三八八・六）。

四　過失の立証

一　過失の立証責任は故意の場合と同様に主張する者の側に属する（大判明三八・六・一九民録一一・九九二、大判昭九・五・一判決全集五・三、大阪地判明四一・九・二二新聞五四三・一二）。その立証は相手方に過失があることを推定させるに足る事実を立証することを以て足るが（大判大九・四・八民録二六・四八二、大判明四〇・三・二五民録一三・三二八）。この事実がなお過失の推定に不充分なときは、これだけでは立証としては不充分であり立証責任を尽したことにはならない（大判大四・三・二四民録二一・四二一）。だが契約上当事者の一方が相手方に対し一定期間内にある行為をなす義務を負担しながら、期間内に義務を履行しないときは反証のない限り自己の過失に原因するものと推定すべきものとされる（大判大一〇・五・二七民録二七・九六三）。そこで過失を推定すべき事実のある場合に過失がないことを主張する相手方は、自らそれを立証する責任がある

（大判大七・一二・二五民録二四・二四八二、大阪控判明四二・一二・二二新聞五六〇・一〇）。だから賠償請求者が過失を推断しうる事実を証明したときは相手方においてその不存在の反証を提出しない限り、過失を認定しても不当ではない（大判大九・四・八民録二六・四八二）。従って一方の当事者は相手方が自己の主張をみとめている事実があればその点についてはそれ以上の立証責任はない【444】。

【444】「甲者カ其所有地上ノ竹木ヲ乙者カ何等ノ権限ナクシテ伐採シタリト主張シ乙者ニ対シ不法行為ニ因ル損害賠償ヲ求ムル訴ニ在リテハ甲者ニ於テ乙者ノ故意又ハ過失ヲ証明スル責任アルコト固ヨリ論ナキモ乙者カ甲者ノ所有権ヲ認メ唯甲者トノ特約ニ依リ甲者所有ノ竹木ヲ伐採スル権限アル旨抗弁スル場合ニアリテハ甲者ハ最早乙者ノ不法行為ニ関スル故意若ハ過失ヲ立証スルコトヲ要セス却ツテ乙者ニ於テ其ノ主張ノ特約ヲ証明スル責任ヲ負担スルモノトス」（台高院上判昭七・一二・一三新聞三五〇一・一一）。

二　右の原則に対して、商法五七七条（旧三三七条）は、例外的に、その立証責任を相手方に帰属せしめている。これは物品運送契約においては多数人がこれに関与し遠隔の地より物品を転送することが多いので、運送人の債務不履行によつて荷受人が損害賠償の請求をする場合に、権利者が相手の過失を立証することは事実上困難であるので、相手方が自己に過失のないことを立証する場合にのみ免責を得せしめるという方法をみとめたのである。ただし同条は債務不履行に関するものであつて、不法行為による損害賠償責任に関するものではない（大判大二・一一・一五民録一九・九五六）。また旅客運送契約については、旅客に対して与えた債務不履行に基く旅客の損害賠償請求に関しては、運送人はその免責を得るためには自己またはその使用人に過失のなかつたことを立証する責任があるとした（商五九〇条）。ただし本条は不法行為を原因として運送人に損害賠償を請求する場合には適用されない（大判明三八・五・八、民録一一・六二九）。

過失の立証責任転換の第二の場合として、大工事に関する不法行為について、判例は無過失の立証責任を加害者（被告）に帰せしめている。これは大工事においては、加害者が損害防止の設備に瑕疵がなければ、即ち注意義務を充分に果せば損害が惹起することは稀であるのであり、換言すれば損害が惹起する限りは殆んど工事担当者の何等かの過失による場合が多いが、被害者がその瑕疵を発見指摘して加害者の故意または過失を立証することは事実上困難であるので、この際過失の立証責任を被害者に課するのは難きを強いることとなり利益保護の公平を失するので、むしろ加害者に無過失を立証して免責を得せしめるのが公平妥当と考えたのである（【445】）。これはかような事業においては加害者において一応故意または過失のあることが推定され、加害者において立証によつてそれを否定することをみとめることが公平の原理に適するとみとめたのである。

かような立証責任の原則は失火の責任の場合についても同様であつて、重大な過失の立証責任は原則として賠償請求者に属する（大阪控判明三六・五・四新聞一三九・八、大判明四〇・三・二五民録一三・三二八、大判大四・一〇・二〇民録二一・一七二九）。そしてその立証はまた相手方に重大なる過失のあることを推定させるに足る事実を立証することを要する（【446】）。但し前述のように、加害者の重大な過失がなければ殆んど損害を惹起することのないと判断されるべき場合には判例も示すように（前出東京地判明三七・三・一新聞二七五・一九）、加害者に重過失ありと推定しているのであるから、（二）このような場合には加害者が免責を得るためには、重大な過失のないことを立証しなければならない（【447】）

（一） この判決文中には「重過失ト看做ス」場合がどのような場合かを示し、それによつて本件について重過失ありとみとめている。

【445】「元来一般的不法行為ノ成立要件タル加害者ノ故意過失ニ付テハ原則トシテ被害者ニ於テ其存在ノ立証ヲ為サヽルヘカラサルコトハ固ヨリ疑ナキトコロナレドモ右ノ原則ニ付テハ加害行為ノ特殊性ニ依リ其ノ例外ヲ認メ加害者ハ却テ自ラ故意過失ナキコトヲ証明セサル限リ損害賠償ノ責任ヲ免カルルコトヲ得サルモノト為スヲ相当トスヘキ場合ナキニ非ス即チ地下鉄道用隧道掘鑿工事高層建築高架鉄道ノ基礎工事其他之ニ類スル大工事ニ依ル不法行為ニ在リテハ工事ノ性質上他人ニ損害ヲ与フル危険性少カラス且損害防止ノ設備ニ瑕疵アルニ非サレハ他人ニ損害ヲ与フルコト稀ニシテ加フルニ加害者ノミ能ク工事ノ瑕疵其ノ他故意過失ヲ確知シ得ヘク被害者ニ於テ之カ証明ヲ為スコト極メテ困難ナルカ如キ諸事情存スルヲ通例トスルカ故ニ斯ル場合ニ於テモ尚被害者ニ於テ加害者ノ故意過失ヲ証明セサルヘカラサルモノトセハ著シク公平ノ観念ニ背馳スルモノト謂フヘク従テ此ノ如キ工事ニ基ク不法行為ニ於テハ被害者ニ於テ其ノ蒙リタル損害カ右ノ如キ特殊行為ニ基因スルモノナルコトヲ明カニシタル以上加害者ハ却テ加害ニ付キ自己ニ故意過失ナキコトヲ証明セサル限リ損害賠償ノ責ヲ免ルルコトヲ得サルモノト為スヲ相当トス」（東京地判昭一〇・一二・二七新聞三九四四・三）。

【446】「普通ノ電気コンロニハ加熱部分ト其取付台（本件ハ木板）トノ間ニハ絶縁体アリテ電熱ヲ遮断スル装置アルヲ以テ単ニ十時間位ノ継続使用ノミニ因リテハ傍ラニ引火シ易キ物体存スル等ノ他ノ条件具備セサル限リ必スシモ発火スルモノニアラサルコト普通ナレハ即チ換言スレハ被告カ電流遮断スイッチニ因ル電流ヲ遮断セサリシモノトスルモ発火ノ危険性ハ存スルコトハ存スルモ其ノ程度ハ甚タシクハ大ナルモノアラサルヲ以テ被告カ該スイッチノ切断ヲ失念シタルコトハ普通ノ注意ヲ欠如セルモノトハ云ヒ得ヘキモ未タ以テ相当ノ注意ヲナスニ及ハスシテ容易ニ火災惹起ノ結果ヲ予見シ得ヘキ場合ニ被告カ漫然之ヲ看過シタルモノ即チ被告ニ重大ナル過失アルモノト云フヲ得サルモノト謂フヘク斯カル場合被告ニ重大ナル過失アリト謂ハンカ為メニハ電

気コンロノ附近ニ特ニ引火シ易キ物体アリタルカ又ハ本件電気コンロカ特ニ不良品又ハ変質品ナル事実アリ而モ被告カ右事実ヲ知リ居リタルカ又ハ極メテ容易ニ知リ得ヘカリシニ拘ラス電流遮断スイッチノ切断ヲ忘却シタル事実ノ主張立証ナカルヘカラス」（東京地判昭八・五・一二評論二二・民七八九）。

【447】「其失火カ被上告人ニ重大ナル過失アルニ非サレハ生セサルカ如キ特別ノ事情存スル場合ニ於テハ立証ノ責任ハ被上告人（加害者）ニ移転スヘシト雖モ斯ノ如キ事情ノ存在ヲ立証スヘキ責任ハ亦上告人（被害者）ニ在ルヲ以テ（後略）」（大判明四〇・三・二五民録一三・三二八）。

業務上の過失

四宮和夫

はしがき

本稿は、はじめ、「過失の種類および事例」という題のもとに、不法行為の要件とされる過失の種別をすべて取り上げようとしたのであるが、分量および時間の関係上「業務上の過失」に限定せざるをえなくなつたものである。

業務上の過失をとくに区別する刑法の場合とちがつて、民法の不法行為法上、業務上の過失がそれ自体独立した過失の種別としての地位を主張しうるか否かは、一個の問題である。したがつて、業務上の過失をテーマとする以上は、それを一般の場合に対するその特色において捉えるように、ともかく努力してみることが、要求されるはずである。そして、そのためには、業務上の過失を一般の場合と対照することが必要であることは、いうまでもない。だが「業務上の過失」がテーマとされたのが上述のような事情であるために、残念ながら一般の場合と対照させることができなかつた。読者の宥恕を乞う次第である。

業務上の過失の特色の多くは、一般の場合と程度の差にすぎないが、それにしても、企業についてそれが問題となる場合には、無過失責任との間に親密な関係をもつにいたることが、注目されなければならない。そのような意味でも、業務上の過失に関する判例の動向を探ることは、民法の不法行為法にあつてもけつして無意味なことではないとおもう。

一　業務上の過失は特定の『業務』に従事する者が業務者として守らなくてはならない注意義務を欠くことである。『業務』の意味については問題があるが、刑事判例がしばしば定義するように「人が継続して或事務を行うにつき有する社会生活上の地位であつて、その自ら選定したもの」（東京高刑判昭二九・四・一三判例時報二九・六九八）というふうに職務ないし社会生活上の地位に限定すべきではなく、後に述べる業務上の過失の特質にかんがみ、社会生活上他人の法益を侵害する危険をともなうような行為を継続して行う場合を、ひろく指すものと考えるべきである（平野・判民大正一一年八二事件評釈、藤木・過失犯の考察・法協七四巻四号四四二頁以下参照）。

二　ところで、刑法では業務上の過失犯はとくに重い制裁を加えられるので（刑一一七条ノ二、一二九条、二一一条）、業務上の過失が特別に問題とされるが、民法では、業務上の過失を一般の過失からとくに区別しないのが、通常である。それは、一般の過失の基礎とされる善良な管理者の注意義務は、社会共同生活の一員として普通に要求される注意だといっても、抽象的な一員を想定するものではなく、その職業・身分等を前提とした一員だから（たとえば我妻・事務管理不当利得不法行為（新法全）一〇七頁）、特定の業務に従事する者が業務者として当然に守らなくてはならない注意義務も、善良な管理者の注意義務の観念に包含されることになるからである。

しかし、業務上の過失を一般の過失から区別する特殊性――それは業務上の過失を一般の過失から質的に区別するものではないが――の存することも、否定することができない。そして、その特殊性は、裁判所の意識すると否とにかかわらず、判例のなかにも現われているようにおもわれる。

三　判例をとおしてうかがわれる業務上の過失の特色ないし傾向は、ほぼ次のようなものである。

(1)　業務上の過失の基準となるべき注意義務は、一般に定型的であり、多くの場合取締規定の形をとっている。けだし、危険な業務は必然的に他人の法益を侵害する危険性を含むものであり、したがつて、多少の法益侵害はやむをえないにしても、その危険の現実化が無制限に許されるわけでなく、業務者はできるかぎり事故の発生を防止しまたは危険の切迫に際して事故発生の防止に努めることを要求される。そして、その際要求される注意義務は、事故の回避に関する科学的、社会的「因果法則」(といっても、それは高度の蓋然性で足りる)を目的論的に構成して「規範」としたものであるから、それは因果法則のように定型的であることになる。取締規定は、そのうち、国家がとくに重要な類型的な場合を予想して事故回避の法則を法規の形で規範化したものにほかならないのである。

判例でしばしば問題となるのは、取締規定と具体的場合に要求される注意義務との関係である。取締規定は、上に述べたように、類型的な場合を予想してつくられた一般的基準にすぎないものであるから、具体的場合において業務者に要求される注意義務は、これに限定されるものでなく、またかならずしもこれと一致するものではないのである(【61】【3】【71】【4】)。——もっとも、こういったからといって、注意義務の定型性が否定されるわけではなく、「具体的な諸条件の下において定型的である」ことになるにすぎない(井上正治「過失犯の判例と批判」警察研究二八巻五号三二頁以下参照)。

(2)　事故防止の責任は業務者だけが負うものではなく、被害者がわの協力の可能なかぎり、かれら一般人もまたこれを負担するものとされる。けだし、もともと、不法行為制度は損害の公平な分担を理想とし、損害の発生を防止すべき義務も、社会の共同生活上の倫理ないし慣習の要求に従つて関係当事者間に公平に分配されなければならないものである。しかも、危険な業務の存立が許されているのは、それが公共性をもつからであり（「許された危険」（erlaubtes Risiko））したがつて、危険な業務にあつては、とくに、業務者のほか一般人も、可能なかぎり事故の防止に協力すべき義務を負うことになるのである（危険の分配）。そして、業務者がわと被害者がわとの注意義務の関係を判例から帰納すれば、原則として次のようになるであろう（一〇九頁以下、一二二頁以下、一三二頁以下、一八一頁）。

第一　まず業務者は、一般的に要求される定型的注意義務（取締規定に限定されず、またかならずしもそれと一致しない）を尽くさなければならない。

第二　業務者は右の定型的注意義務を尽くしさえすれば、第二次的には一般人の注意義務の順守を期待することが許される。

第三　一般人の注意義務が要求されているのに、その注意義務を怠りまたは怠ることが予見される場合、すなわちとくにつよい危険性を生じた『特別』の場合には、業務者は最大の注意をもつて事故の発生を防止しなくてはならない。――けだし、人命尊重の見地からいつて当然のことである（【35】参照）。

なお、第一の業務者の注意義務と第二の一般人の注意義務との間には、大体において、反比例的相関関係の存することは、いうまでもない。たとえば、軌道を有する汽車・電車の運転のように、一般人が少し注意しさえすれば事故を回避することができる場合には、事故防止の責任は被害者がわの注意義務に待つところ多く、業務者（運転士）の注意義務の比重は小さくなる（一三二頁以下参照）。これに反し、電気施設や医療行為・報道業務のように、危険な物または行為がもっぱら業務者がわの支配に委ねられていて、事故発生の原因が被害者がわの行為に依存することの少い場合には、業務者がわの注意義務の比重が増大することになるのである(一七〇頁六、一九四頁以下、一九九頁九――もっとも、後二者については、他の要因によって業務者の注意義務の緩和が認められている、一八六頁(a)・一八八頁(ロ)・一九一頁(ハ)参照【116】【120】)。

(3)　業務者の守るべき注意義務は、概して、一般の場合よりも高度である。危険性をもつ行為が他人の法益を侵害するおそれが多いにもかかわらず禁止されずに公認されているのは、――主としてはその社会公共性によるのであるが――ひとつには、その反面において他人の法益の侵害を防止するためにとくにふかい注意義務が業務者に要求されているからである(藤木・過失犯の考察・法協七四巻一号三〇頁、四号四四五頁参照)。また、そのような事情に基いて刑法上重く罰される場合には(刑一一七条ノ二、一二九条、二一一条)、重く罰されるという事実からも、一般の場合よりも高い注意義務を要求する規範意識が発生しているはずである(平野義太郎・判民大正一一年八二事件評釈)。一般の場合には、「普通注意ヲ用ユル人ガ事物ノ状況ニ応ジテ通常為スベキ注意」を怠りさえしなければ、「仮令其程度ヲ超ヘ一層周到ナル注意ヲ尽サバ損害ノ発生ヲ防止スルコトヲ得ベカリシトキト雖モ過失ノ責ナキモノ」とされるのであるが(大判明治四四・一一・一民録一七・六一七――事案は、工場財団に対する無効の二番抵当権を実行し競落人となり仮処分によって目的物を取上げ、本案訴訟でも抗争した場合)、業務者に対しては、「其ノ業務ノ性質ニ照シ危害ヲ防止スルニ必要ナル一切ノ注意ヲ為ス」ことが要求され(【39】参照)、結果発生の回避がなにびとにも疑わしいと考えられるような場合でさえ注意義務の認められることがあるのである(たとえば【11】【90】)。

もっとも、汽車・電車の運転士(機関士)のように、一般的にはさほどきびしい注意義務を負わず、むしろ公衆の方に事故防止の注意義務の比重が置かれる場合の存することも、見逃してはならない。

(4)　注意義務の高いことと関連して、企業者の危険防止設備をなすべき義務が問題となる。危険な業務によって生ずる損害が予見可能であり、一定の設備によって損害発生を防止しうる場合には、原則としてかかる設備をなすべき注意義務を要求されるが、その設備に多額の経費を要する場合には、その設備をしなくても過失がないことになる（加藤・不法行為（法律学全集）一二八頁）。けだし、その場合には、結果の回避は社会的・経済的に不可能であり、したがって、結果回避不能の場合として注意義務がないことになるからである。そして、どの程度の犠牲を企業者に強いるかは、主として企業の公共性と被害法益とを比較較量しつつ、損害の公平な分担という不法行為制度の理念に照らして、判定すべきことになろうが、この点に関し、判例は相当の程度まで企業者の犠牲を強いる傾向を示しているといえよう（一二六頁(ロ)、一五〇頁一一六二頁五、一七〇頁六）。だが、企業による危険が人間の生命に関するものである場合には、企業者には最高の科学的水準による危険防止設備を要求すべきである。その意味で、過失主義を強化するよりも、危険責任の思想に基く七一七条を利用して無過失責任を認める方がすぐれており、そのような判例も見られるのであるが（この点については(7)参照）、ともかく、企業者に危険防止設備の負担を強制する方向にむかっていることは、業務上の過失の特色の一面を示すものということができよう。

(5)　業務上の過失が問題となる場合に『重過失』の認められることの少くないことも、業務上の過失のひとつの特色であろう。『重過失』は、「特ニ情状ノ重キ抽象的注意ノ欠缺」であるが（東京控判明四三・四・一三最近判七・一六〇、東京控判明四三(ネ)二一〇（月日不明）新聞六六三・一四）、それは、「容易ニ違法有害ノ結果ヲ予見シ回避スルコトヲ得ベカリシ場合ニ於テ、漫然意ハズ之ヲ回避防止セザリシ」場合（大判大二・一二・二〇民録一九・一〇三六――運送品について船員の重過失が問題になつた場合に関する）のほか、具体的場合に要求される注意義務の程度が特別高いのに通常の注意をもつてしたような場合を、含むものと考えられる。そして、あたかも、危険性の多い業務行為にあつては、重過失の発生する上述のような可能性は、一般の場合よりも大きいといえるのである。けだし、危険性の多い業務にあつては、業務者は危険性を認識していなければならず、また事実、危険性の認識が容易であるから、もし危険性を認識しなかつたとすればいちじるしく注意を欠いたことになり、また、危険回避のためにとくに周到な予防手段を講ずることが要求されるから、通常の態度で行えばいちじるしく注意義務に反することになるからである。かようにして、判例においても、とくに危険性の多い業務の場合に、『重過失』の認定されることが少くないのである（一一八頁(八)、【22】一五八頁(2)、【72】の第一審判決、【84】、【85】【86】【111】）。不法行為法上、一般には『重過失』は特別の意味がないから、判例はそれを『重過失』と断ずることに関心をもたないわけであり、判例が明らかに「重過失」または「甚シキ注意義務ノ懈怠」と断定した場合のほかに、いわば『かくれた重過失』とも称すべき場合もけつして少くないようにおもわれる。業務上の過失で『重過失『がとくに法律上の意味をもつ主要な場合は、失火責任の場合であるが、この場合にも、『重過失』はわりに容易に認定されているのである（【22】【84】【85】【86】）。

(6)　上述の重過失の認められる場合を多からしめている事情は、そのまま、業務上の過失の認定を容易にし、過失の認められる場合を多数ならしめるのに役立つているわけだが、判例はさらに進んで挙証責任の転換によつて過失主義を事実上修正する結果をみちびくことがある。危険をともなう業務にあつても、業務の性質によつては、危険な物または行為に対する支配がもつぱら業務者がわにあり、あらかじめ定型的に定められた注意義務を守つてさえいれば、特定事故の発生する蓋然性のきわめて少いことがある。そのような場合には、当該事故の発生したという事実自体がそのまま注意義務の怠りを推定させることになる。それに、事故の原因となつた過失（それがあるとして）というものは、きわめて技術的な要因を含むものであり、まして、事故の原因は業務者がわの支配下にあるとすれば、被害者にとつて過失の挙証は困難であり、いな不可能でさえある。それでもなお被害者のみに過失の挙証責任を負わせることは、はなはだしく公平に反する。かようにして、判例は、ときとして（意外にもその数は多くないが）、被害者の過失を推定し、それによつて容易に過失を認定することがあるのである（【59】一九二頁（2）——なお【52】は故意過失を擬制さえしている）。

かような過失の推定の性質については学説上争があるので、ここでちよつとふれておこう。この推定は故意過失の存在は原告がわで挙証すべきであるという大原則（大判明三八・九・九民録一一・九九二）を破るものではなく、真の意味の挙証責任の転換ではないともいえる。けだし、故意過失の挙証に関する判例理論によれば、第一に、故意過失の存在は原告がわが立証すべきだが、その原則を前提した上で、第二に、原告としては被告の故意過失に基因するものと推定させる事情を立証すれば足り（大判大四・三・一四民録二一・四一二、大判大九・四・八民録二六・四八二）、第三に、かような事情が明らかにされた後は、立証責任は被告がわに移行し、被告の方で故意過失のないことを立証しない以上、被告がわの故意過失が認定されることになつている（大判大七・二・二五民録二四・二八二、大判大九・四・八民録二六・四八二）。そして、過失の認定に際して判例の認める推定は、被告がわに過失のあることを推測させる事実が証明された場合に、挙証責任が被告がわに移行することを認めるものにすぎない、ということができるからである。そこで、多くの学者はそれは『一応の推定』（prima-facie-Beweis）にすぎず、『一応の推定』は挙証作用（Beweisführung）の問題に属し、挙証責任（Beweislast）の転換ではないとするのである。しかし、挙証責任と挙証作用とがその本質において全然別個の制度であるか否かは疑問であり、上のような『一応の推定』とても、故意過失についての挙証責任を被害者だけに負担させないで加害者にも分担させるもの、と理解して妨げないのではないか（末川「一応の推定と自由な心証」不法行為並に権利濫用の研究一二五頁以下）。それはともかくとしても、少くとも、過失の推定が単に事物の蓋然性だけでなく、さらに公平の原則をも基礎とする場合には（【59】参照）、狭義の挙証責任の転換とほとんど異らないといえよう（我妻・前掲二二五頁参照）。そして、挙証責任の転換は、過失の挙証の困難な業務に基因する事故にあつては、過失責任の原則を修正する強力な手段だといわなければならない。判例は、業務上の過失の認定に際して一応の推定ないし挙証責任の転換をもつと利用してよいのではあるまいか。

(7)　損害の原因が企業設備の欠陥に存する場合には、業務上の過失はしばしば民法七一七条の工作物責任と競合し（【62】【66】【69】一七七頁(2)）、場合によつては、この工作物責任に席を譲ろうとする傾向さえ見せていることも（一二六頁(ロ)【58】、一七三頁(2)、【86】）、指摘されなければならない。

七一七条による責任は無過失責任といわれるにしても、工作物の設置または保存に『瑕疵』のあることを要件とするものであり、しかも、一般には、その瑕疵は第三者の行為や自然によつて生じたものではないであろうから、そこに企業者の客観化された過失が存在することを前提するものである。

したがつて、企業者の業務上の『過失』はしばしば工作物の瑕疵と共存することになるわけである。

しかし、かように両者の競合しうる場合でも、結果の発生についての『過失』を認定するよりも工作物の瑕疵』を認定する方が容易であり、また、『瑕疵』が第三者の行為や自然に基因する場合には、『過失』はなくても『瑕疵』を認定することが可能である。そして、七一七条を支える危険責任の思想は、——損害の発生が厳格に「土地ノ工作物」の瑕疵による場合でなくても——不可避の危険を包蔵し他人の法益にたえまない侵害を与えつつある企業設備に対しても、同じようにきびしい責任を要求することであろう（近時の学説は七一七条の拡張解釈を主張する、我妻・前掲一八一頁、末弘・戒能・民法講話上巻一〇八頁、石本「過失責任主義と無過失責任主義の統一」我妻還暦（上）八七頁）。かようにして、損害の原因が企業設備の欠陥に存する場合には、七〇九条によつて『過失』の有無を問題とする代りに、七一七条によつて『瑕疵』の有無を問題とし、できるだけ企業者の責任を認めようとするにいたるのである。

業務上の過失は、実に、過失責任と無過失責任の交錯点、前者から後者への移行点としても、重要な意味をもつているのである。

(8)　そして、企業の従業者が企業施設の機械的一部分として型どおりに行為することの予定されている場合には、右のようにして企業者の工作物責任が肯定されるとともに、他方では、従業員個人の過失は否定される傾向が、見られる（【20】、一四〇頁参照）。これはまだきわめて局部的な現象にすぎないけれども、業務上の過失の特色の一面を示すものとして、見逃すことのできない意味をもつていると考える。学者は、機械的な労務に従事する者が企業災害の原因となる場合には、企業組織自体の瑕疵とみて、七一七条による企業者の無過失責任を認めるべきものとしている（我妻・前掲一八一頁）。すなわち、従業者の主観的な過失を企業の客観的な瑕疵に吸収しようとするわけである。踏切事故に関する判例の態度（一四〇頁参照）は、上の学説のように従業員の過失と軌道設備の瑕疵とを一体化するものではないが、従業員の過失を否定し企業者の過失責任または工作物責任を肯定することによつて、同一の成果をおさめようとするものであり、そのようなものとして注目すべき現象といわなくてはならないのである。

——業務上の過失については、ほぼ上述のような特色・傾向を指摘することができる。ただ、業務上の過失がすべてかような特色をもつというわけではなく、上にもふれたように、業務の種類によつて強調される特色の異ること、また、他方、一般の過失についてはかような現象が全然ないというわけでもなく、差異はただ程度の問題にすぎないものであることを、念のために断つておかなくてはならない。

一　自動車交通の場合

一　自動車の所有者・占有者の場合

(1)　自動車の所有者・占有者としての特殊の責任を認めうるか。大審院判決はこれを否定する。山口県電気局の雇員Aが、同局構内の仮車庫にしまつてあつた同局の自動車を日曜日に勝手に引き出し公道で運転中、事故を起した。被害者Xは次のように主張して、Aとの共同不法行為者としての山口県（Y）の責任を問うた。すなわち、山口県（Y）も自動車を所有し使用する者としてその保管につきとくに注意すべき義務を負つており、保管担当者がその義務に違反したのだから、Aとの共同不法行為となるはずだというのである。原審（広島控判昭二・八・五新聞二七三五・一三、評論一六民一〇四三）は、「自動車其者ハ何等他人ノ権利ヲ侵害スベキ虞アル物体ニアラザルガ故ニ其保管上外部ニ対シ特種ノ注意ヲ払フノ要アルヲ認メズ」と断定し、ただ、保管をなす者は「本人（Y）ノ為メ善良ナル管理者ノ注意ヲ以テ保管義務ヲ尽シタリト謂フヲ得ザルベキモ、対世的関係ニ於テハ之ガ保管ニ関スル義務ヲ懈怠シタリト認ムルヲ得ザルモノトス。」として、特別の事情のないかぎりYにはAの操車を防止すべき義務はない、と判示した。Xは上告して、自動車の使用者が容易に他人の手に自動車を帰せしめないようにする保管義務があること、他人のために保管をなす者が本人に対する関係で善良な管理者の注意を怠ったとされる以上、対世的関係においても共同生活上の注意義務を怠ったものというべきだ、と主張した。大審院は、「自動車ノ所有者ニ其ノ賠償責任ヲ生ズルニハ民法第七一五条所定ノ要件ヲ必要トス」としつつ、次のように判示して原審を支持した。

【1】「自動車其ノモノハ何等直接ニ他人ノ権利ヲ侵害スル虞アルモノニ非ザルヲ以テ、自動車ノ所有者ハ、其ノ保管ニ付、動物ノ占有者ガ其ノ動物ノ種類及性質ニ従ヒ相当ノ注意ヲ以テ之ヲ保管スル義務ヲ負ヒ其ノ特種ノ保管義務ノ懈怠ニ因リテ生ジタル損害ニ付直接其ノ責ニ任ズベキ場合ト同様ナル特種ノ保管義務アルモノト解スルヲ得ザルナリ。」（大判昭二・一二・一三評論一七民六四二）

本件におけるXの主張は、フランスで、無生物の保管者（gardien）の責任を認める民法一三八四条一項を根拠として、使用者責任（フ民一三八四条三項）とは別に、自動車保管者の責任が認められているのを、想起させる。だが、フランス民法の解釈としても、自動車が盗まれたような場合には所有者の責任を否定するのが判例・多数説だとされている（野田「自動車事故に関するフランスの民事責任法」法協五七巻三号四八七頁）。ただ、原審判決もいうように、無免許者が免許を得ようとして局の自動車を練習用に使用しているといつたような事情を、局の保管担当者が知つており、Aが公道で運転するおそれのある場合には、保管者にAの操車を防止すべき注意義務を生ずるとしなくてはならないであろう。

(2)　バス営業者の防火義務　バス内に乗客の持ち込んだガソリン罐に他の乗客のタバコの火が引火して火災となり、乗客中に死傷者を出した事故について、最近の東京地判は、車掌および運転者の過失を認定した上で、次のように、会社自身にも「一般乗合旅客自動車運送事業経営者が当然守らなければならない義務」に反する過失があるとしている。バス営業者の防火義務を説くものとして、注目に値する。

【2】「被告会社の過失としては、車内禁煙の趣旨を乗客に周知徹底せしめる上に於て、バス内部正面ガラス窓の上部の金属製マーク一個は少なすぎたこと、本件事故発生前は乗務車掌をして禁煙を励行した形跡が見えないこと、バス内に消火器の設備が全然なかつたこと、後部昇降口に運転者と連絡すべきブザーの設備がなかつたこと、バス内ガラス窓に設けられた二本の手すり棒が、乗客の脱出を著しく困難ならしめたことがあげられ得るが、これ等の注意義務は被告会社のような道路運送に関する秩序及び公衆の安全を保ち以て公共の福祉を増進すべき義務を有する一般乗合自動車事業経営者が、当然守らなければならない義務というべきであつて、かような義務に違反したことは、被告会社の過失を構成するものといわなければならない」（東京地判昭二九・七・三一下級民集五・七・一一九四）。

二　自動車運転者の場合

(1)　自動車損害賠償保障法と従来の判例との関係　自動者運転者の賠償責任については、近時自動車損害賠償保障法が制定され（昭和三一年二月一日から施行）、「自己のために自動車を運行の用に供する者」（自分で運転する自動車の保有者や自動車泥棒）は無過失責任ともいうべききびしい責任を課せられるようになつた（同法三条）ので、運転者の過失に関する従来の判例理論は今後の自動車事故にはそのまま適用されないことを、注意しておきたい。
だが、この法律は、自動車事故のすべてに対して無過失責任を適用するものではなく、民法の過失主義の適用される分野を少からず残していることも、忘れてはならない（三条四条）。すなわち、第一に、責任主体の点で、無過失責任は、「自己のために自動車を運行の用に供する者」についてしか認められず、「運転者」すなわち「他人のために自動車の運転又は運転の補助に従事する者」に及ばない。第二に、自動車が損害を与える方法の点で、自動車の「運行」によるのではない場合には及ばない。第三に、損害の点で、財産的利益の侵害による損害および法定賠償額以上の損害には及ばないのである。

(2)　運転者の過失の特色

(イ)　運転者の注意義務と一般人の注意義務　自動車運転者の注意義務、とくに一般公衆との間における『危険の分担』に関する判例理論を明らかにするものとしては、刑事判決が圧倒的に多い。刑事判決においては過失の認定は慎重になされるのがつねであるから、刑事判決において要求される注意義務は民事事件においても当然に要求されるものと考えてよく、そして、後述のようにこの問題に関する刑事判決は、自動車運転者にきびしすぎる注意義務を要求するものと非難されるぐらいであるから（藤木・前掲・法協・七四巻三号二七四―五頁、谷口・前掲ジュリスト一四二号二四―五頁）、民事上の過失の基準としてちようどふさわしいもののように考えられる。

従来の判例（刑事判決）によれば、自動車運転者の注意義務に関する原則は、ほぼ次のようになる。

(a)　運転者の守るべき注意義務は取締規則に規定されたものに限定されない。運転者は、事故の発生を未然に防止するためにあらゆる方法を用いなければならない。そのために、交通機関としての自動車の効用を減殺する結果となつてもやむをえない。——以上の原則を明言するものとしては、次の二つの大審院判決が代表的である。

【3】「大正八年警視庁令第八号自動車取締令施行細則ニハ所論ノ如ク其ノ第三十七条中ニ於テ自動車運転手ノ就業中遵守スヘキ事項ヲ挙示セリ。然レドモ右庁令ノ規定ハ危険防止ノ注意義務ヲ限定シタルモノニ非ズ例示ニ過ギザレバ、所論ノ如ク自動車ガ電車ト摺レ違フ場合ニ付別段ノ規定ナシトスルモ、之ガ為自動車運転手ニ音響器ヲ鳴ラシ徐行シ若ハ避譲スルノ注意義務ナシト論定スルヲ得ズ。従テ何レノ時ノ何レノ処トヲ問ハズ、自動車運転手ハ其ノ就業中ハ業務上必要ナル注意ヲ用ヒ有ラユル方途ニ依リ危険ヲ防止スルコトニ努力スル義務ヲ負フモノナレバ、之ガ為自動車本来ノ効用ヲ減殺スルモ亦止ムヲ得ザルモノト謂ハザルベカラズ。従テ、電車ト摺レ違フ際ニハ、其ノ後方ヨリ自己ノ進路ヲ横断スル者アル如キ虞アルトキハ何時ニテモ停車スルヲ得ベキ措置ニ出デ、警笛ヲ鳴ラシ徐行シ又ハ車道ニ避譲スル等各場合ニ応ジ機宜ノ方途ヲ講ジ危険ヲ未然ニ防止スベキ周到ナル注意ヲ用キザルベカラズ。電車ノ後方ヨリ車道ヲ横断スル者モ亦固ヨリ周到ナル注意ヲ用キルヲ要スルハ勿論ナリト雖、之ガ為自動車運転手ノ注意義務ヲ除却スベキ理由存在セズ。本件ニ於テ原判決ガ、被告人ハ自動車運転手ニシテ、其ノ業務ニ従事中ハ常ニ前方監視ノ注意ヲ怠ラズ、殊ニ電車ト摺レ違フ際ニハ其ノ後方ヨリ進路ヲ横断スルモノアルベキヤニ留意シ、警笛ヲ鳴ラシテ徐行スルカ又ハ右電車ヨリ成ルベク離レ車道ニ避譲シテ進行スル等、危険ヲ未然ニ予防スルニ足ルベキ周到ナル注意ヲナスベキ業務上ノ義務ア

ルニ拘ラズ、之ヲ怠リ電車ト摺レ違フニ際シ依然一時間八九哩ノ速力ヲ持続シテ疾走シ、電車ノ後方ヨリ自転車ニ乗ジ被告人ノ進路ヲ斜断セントシタル某ニ自動車ヲ衝突セシメテ同人ヲ死ニ致シタル旨ヲ判示シ、右事実ハ原判決ニ挙示スル証拠ニ依リ之ヲ認ムルニ足ルヲ以テ、被告人ヲ業務上過失致死罪ニ問擬シタル原判決ハ相当ナリ」（大刑判大一四・一〇・三刑集四・五七〇）。

【4】「論旨ノ引用スル内務省令第二十三号自動車取締令第五十一条第一項第五十四条第一項等ノ規定ハ孰レモ交通ヲ整理シ事故ノ発生ヲ防止スルコトヲ目的トスル行政上ノ取締規則ニシテ、自動車運転手ガ其ノ業務ノ執行ニ付之ヲ遵守スベキハ固ヨリ当然ノコトナリト雖、斯ル取締規則ハ是唯右ノ目的ヲ達スルノ方法トシテ最モ普通ノ事項ヲ規定シタルモノニ過ギザルカ故ニ、自動車運転手ハ此等規定ノ命ズル所以外ニ於テ尚運転上ノ注意義務ヲ負ハザルベカラザルハ勿論ニシテ、単ニ前記ノ如キ取締規則ヲ厳守シタレバトテ之ヲ以テ其ノ注意義務ヲ完全ニ尽シタルモノト謂フベキニアラズ。故ニ本件ニ於テハ被告人カ事故発生ノ当時自動車取締令ノ規定ニ従ヒ自動車ヲ運転シ居リタルコト所論ノ如シトスルモ、必ズシモ注意義務ヲ怠ラザリシモノト速断スルヲ得ザルノミナラズ、自動車運転手ガ自動車ヲ運転シテ判示ノ如キ十字路即チ道路ノ交叉点ヲ通過セントスルガ如キ場合ニ在リテハ、或ハ側面ノ道路ヨリ馬車自動車等ノ突進シ来ルコトナキヲ保シ難キガ故ニ、能ク其ノ進路ヲ警戒シ、何時ニテモ急停車ヲ為シ得ベキ様予メ速力ヲ緩減シテ進行シ、若シ其ノ側面道路ヨリ馬車自動車等ノ進行シ来ルヲ発見セバ、直ニ急停車ヲ為シ又ハ徐行ヲ継続スル等適宜ノ措置ヲ執ルコトニ依リ事故ノ発生ヲ未然ニ防遏スルニ全力ヲ尽スベキ業務上ノ注意義務アルコトハ、寔ニ原判決説明ノ如クニシテ、之ガ為ニ多少交通機関ノ敏活ヲ阻害スルノ結果トナルコトアリトスルモ、通行者ノ安全ヲ期スルノ必要上已ムヲ得ザルコトト云フベシ。果シテ然ラバ本件ニ於テ被告人ガ其ノ貨物自動車ヲ運転シテ判示十字路ニ差蒐リタルニ拘ハラズ、右ノ注意ヲ怠リ依然時速約十六哩ノ速力ヲ持続シテ進行シタル為、該十字路交叉点ノ前方約五間ノ個所ニ至リ初メテＡノ運転スル貨物自動車ガ判示ノ如ク側面ノ道路ヨリ進行シ来ルヲ発見シタルモ、機宜ノ措置ヲ

執ルノ余裕ナクシテ遂ニ被告人運転ノ自動車ヲA運転ノ自動車並之ニ同乗セル助手Bノ左腕ニ接触セシメテ同人ニ負傷セシメタルコト原判示ノ如クナル以上、被告人ニ於テ其ノ結果ニ付過失ノ責任ヲ免レザルガ故ニ、原審ガ被告人ノ所為ヲ業務上過失傷害罪トシテ処断シタルハ相当ナリ。」(大刑判昭一一・五・一二刑集一五・六一七)

(b)　もつとも、事故発生防止の注意義務は運転者に一方的に課せられるわけでなく、他の自動車の運転者を含めて一般の通行人も、事故発生を防止すべき注意義務を負つており(それだからといつて運転者の注意義務が除却されることはない、前出【3】)、したがつて、運転者としては、一応相手方が規則を順守することを期待して行動することが許される【5】。

(c)　しかし、相手が規則を無視しあるいは過失をおかして予期と異る事態を生じた場合には、運転者は事故発生を未然に防止する処置をとるべき業務上の義務を負うのである。——これを示すものとしては、次の諸判決をあげることができる。

【5】　交叉点で「進メ」の信号で進行を始めた者は、これと交叉する道路を通行する者が「止レ」の信号で阻止されることを期待しうるから、普通の速力で進行して差支ないとして、右(b)の原則を承認しつつ、交叉する道路にいたオートバイが「止レ」または「注意」の信号を無視して疾走して来るのを発見した場合には、自動車の運転者は徐行・停車等の処置によつて衝突を未然に防止しなければならない、とするもの。「一旦『進メ』ノ信号ニ依リ停止線ヲ越ヘテ進行ヲ始メタル人車馬ハ、之ト交叉スル道路ヲ通行スル者ガ『止レ』ノ信号ニ依リ阻止セラルルコトヲ期待シ得ベキガ故ニ、其ノ儘普通ノ速力ヲ以テ進行シ得ベキハ当然ニシテ、敢テ此ノ場合何時ニテモ停車シ得ル様最大ノ徐行ヲ為スガ如キ注意ヲ払フノ義務ヲ要求セラルルコトナク、而モ此注意ノ程度ハ進行ノ中途ニ於テ信号ガ『注意』ニ変リタリトスルモ渝ルコトナキモノトス。」「然レドモ、凡ソ自

動車運転手ハ如何ナル場合ニ於テモ他トノ衝突ヲ避クルニ付其ノ為シ得ベキ最善ノ措置ヲ講ズベキ業務上ノ義務アルモノナレバ、交叉セル道路ヲ通行スル者ガ『止レ』又ハ『注意』ノ信号ニ拘ラズ敢テ停止線ヲ突破シ、其ノ状況ヨリ判断シテ衝突ノ危険アルコトヲ認識シタル場合ニ於テハ、須ク之トノ衝突ヲ未然ニ防止スベキ措置ニ出ヅベキ業務上ノ義務アルモノト謂ハザルベカラズ。」(大刑判昭九・七・一二刑集一三・一〇二五)。

【6】 前方から来た自動車が自己の進路である道路左方に入って来た場合に関し、「之ニ向ツテ進メル自動車ノ運転手ハ前方自動車ノ異常ナル行動ニ稽ヘ、次ノ瞬間ニ如何ナル行動ニ出ヅルヤ明確ニ察知シ得ルニ至ルマデ、須ク一時停車スルカ又ハ何時ニテモ停車シ得ベク徐行スルノ用意ニ出」でねばならないとし、右白動車が停止するものと予測して快速力でその右側をすり抜けようとしたのは過失であるとするもの(大刑判昭九・六・七刑集一三・七一九)。

【7】 自動車は、反対方向から来る自動車を認めた場合は、本来は左がわを通行すべきだが、先方の自動車が右がわに避譲した場合に関し、「規則ヲ遵守セザル識アルコト勿論ナリト雖、自動車運転手ノ注意義務ハ極メテ重大ニシテ」「自動車通過ニ支障トナルベキ一切ノ障碍物ヲ注視シ、互ニ接触スル虞ナキ路ヲ右方ニ辿リテ進行スベキ」である、とする判決(大刑判昭八・一二・六刑集一二・二三二一)。

(ロ) 運転者の注意義務のきびしいこと　上に述べた『危険の分配』は、原理的には業務上の過失一般に妥当する原則だが、同じ交通機関のうちでも有軌道交通機関の運転士の場合(一三二頁)と比較してみて、自動車運転者に帰せられる注意義務は、かなりきびしいようにおもわれる。すなわち、運転者は一般人が自ら事故防止の行為に出ることを予定し、それを可能にするのに必要な処置をとれば足るのか、それとも、一般人がこれに応じない場合までも予想して、起りうるあらゆる事態に備えて万全の予防方法を講ずべきであるか、というふうに問題を設定すれば、上述のように、自動車運転者の場合にも一応前者の立場が採られているといえる。だが、その適用においては、しばしば後者と区別し難いまで、運転者にきびしくなつているのである。

(a)　たとえば、自動車の運転者は、通行人が自動車の接近を知つてろうばいし不測の行動に出るかも知れないことを、あらかじめ考慮に入れて慎重に運転すべきである、とする判決【8】【9】や、運転者が前方四、五間のところを横断する通行人を認めたのに、速力を低減せず依然一一哩の速力を持続していたために、自動車を避けようとして突然後退したその通行人に衝突して死亡させた事案において、「偶然的事故ト雖之ヲ避ケ得ベカリシ場合ニ之ヲ避クベキ注意ヲ欠キタル場合ニハ」過失致死になる、とする判決【10】などは、その例といえよう。

【8】「自動車ノ前方進路ヲ横断セムトスル通行人ハ、自動車ノ接近シ来ルニ驚キ狼狽ノ余リ挙止適正ヲ失ヒ、之ヲ避譲スルニ適当ナル態度ヲ執ルコト能ハズ不測ノ行動ニ出ヅルコトアルハ、日常屡々目撃スルトコロノ事例ナルヲ以テ、斯ル場合ニ自動車操縦ノ業務ニ従事スル被告人ハ、唯警笛ヲ吹鳴ラシテ通行人ヲ警告スルニ止マラズ、常ニ通行人ノ姿勢態度ヲ注視シ、之ニ応ジテ何時ニテモ自動車ヲ停車シ得ル為其ノ速力ヲ低減スル等、危険ノ発生ヲ避クルニ適当ナル方法ヲ講ジ、以テ自動車ト通行人トノ衝突ヲ未然ニ防止スベキ業務上ノ注意ヲ負フコト言ヲ俟タズ。」（大刑判昭一〇・七・六 刑集一四・七八〇）

【9】「自動車ノ進路ニ背ヲ向ケ自動車ノ進行ニ介意セズ、路上ニ佇立セル通行人ガ不用意ノ間ニ歩行ヲ開始シ、或ハ自動車ノ接近ヲ知リ急遽狼狽シテ不測ノ行動ニ出ヅルコトアルハ、吾人ノ経験上往々遭遇スルトコロナルヲ以テ、自動車運転者タルモノハ、警笛ノ吹鳴其ノ他ノ方法ニ依リ通行人ニ自動車ノ接近ヲ察知シタル形勢ヲ確知シ得ザル場合ハ、適宜速力ヲ減ジ安全ニ其ノ傍ヲ通過シ終ル迄終始其ノ姿勢態度ニ注視シ、時宜ニ

応ジ何時ニテモ急停車ヲ為シ得ベキ充分ノ余地アル場合ニハ、通行人トノ間ニ相当ノ間隔ヲ置キテ通過スル等、自動車ノ接近ヲ察知セザル通行人ガ不用意ノ間ニ歩行ヲ開始シ或ハ急遽狼狽シテ不測ノ行動ニ出デタル場合ニ於テモ接触衝突等ニ因ル危険ノ発生ヲ未然ニ防止スベキ用意ヲ為スハ、自動車運転者ノ業務上当然ノ義務ニ属ス。」（大刑判昭一三・八・一九刑集一七・六三八）

【10】「人ノ交通道路ヲ比較的疾走スル自動車ヲ運転スル者ハ、予見シ得ベキ事故ニ対シテハ勿論偶発的事故ト雖之ヲ避ケ得ベカリシ場合ニ之ヲ避クベキ注意ヲ欠キタル場合ニハ、其ノ結果ニ対シテ責任ヲ負担スベキハ当然ノ事ニ属ス。」（大刑判昭三・八・二新聞二九一八・一五、評論一八刑訴三八）

(b)　特殊なケースとしては、戦後のはげしい交通難時代に、乗客の殺到したバスの運転者と車掌に対して、発車の際の措置に関してきわめて高度の注意義務を要求している下級審判決【11】がある。この事故の原因は、バス従業者の過失というよりも、戦後の異常な交通地獄という社会的現象にあるものとおもわれる。それにもかかわらず従業員の過失を認定したのは、過失主義の建前をとるわが民法のもとでは、この場合そうする以外に被害者の受けた損害を補填する途がないからである。

【11】終バス直前のバスに乗客が殺到し、乗客の中数人ははみ出してステップに乗っていた。車掌は扉を閉めることができないまま発車合図を与え、運転手は徐行した。ステップにいた乗客の一人（右手右足で車体につかまっていた）がトントンと二三度左足を地面に着ける動作をしているうちに、右手が外れて負傷した、という事件。「車が動き出すと続く客がなくなるので、その上で整理すればステップの客も容易に車内に収まることは吾人の日常見聞するところであるからそこで窮余の策として、一旦発車し徐行しながら客を整理して扉を閉める方法をとつたのであつて、もとより安全性を欠くとはいえ、現在としては止むを得ない処理として了

解されむしろ乗客の側において自制すべきであろう。」「然しながら右の危険性ある方法を敢て採用し扉を閉めぬまま発車合図を与え、これに応じて発車せしめる以上、扉を閉めてしまうまでの間、車掌及び運転手に要求せられる注意義務は極めて高度のものとされなければならないことは当然である。けだし扉を閉めるための発車なのであるから、閉めてしまうまでの徐行中は、本来停車中と同じ安全を乗客に保障すべきものであるからである。」（東京地判昭二七・四・二三下級民集三・四・五四四）

（c）以上の諸例は、最後の判決を除けば、みな刑事判決だが、刑事判決においてさえ右のようにきびしい注意義務が要求され過失が容易に認定されるのだから、民事判決で、事故に際して無過失の認定される例があまり見当らないのは、当然である。その少い例のなかで典型的なのは、次の二つの場合であろう。これらの場合には、事故は「不可抗力」に基くものというべく、運転者の過失が否定されるのは当然である。

（i）被害者が突然に飛び出した場合

【12】「被害者Aハ突然路次内ヨリ飛出シ偶々道路ノ右側ヲ疾走シ居タル本件自動車ノ右側面ニ接触シタルモノニシテ、所謂出会頭ニ衝突シタルモノナル事実ヲ推認スルニ足ルヲ以テ、右事故ニ付テハBニ毫モ過失ナカリシモノト認ムルヲ妥当トス。」（東京控判昭一一・一二・二八評論二六巻民六八八、新報一〇一・二〇）

【13】貨物自動車の進路の前方左側に二人の通行人を認めたので、運転手は音響器を鳴らし速力をゆるめて進行中、通行人に近接すると突然その中の一人が道路の中央に飛び出し、運転手はハンドルを極力右廻し急停車したが、衝突した場合につき、「被害者Aガ右自動車衝突ニ因ル事故発生ハ、其直前ニ於ケル右Aノ意外ノ行動ニ因リ、自動車運転手ニ於テ事故発生ヲ避クルタメ最善ノ方法ヲ尽シタルモ尚且之ヲ避クルコト能ハザ

ルモノト認メザルヲ得」ず。（広島控判昭七・三・三一新報二九〇・二四）

(ii) 被害者が今までとは逆の方向に出て来た場合

【14】 時速十哩の速力で運転中、六歳前後の幼児Aが、自動車の前方約二間の距離において突然道路の右側から左側に向つて横断しようとしたので、運転手Bはその後方に出ようとしてハンドルを右に切つたところ、Aが急いで後方に戻つたために衝突した事案。原審は、幼児の逆行に衝突の原因があるとしてBの過失を認めないので、A側で上告し、運転手が幼児の横断を発見したときは、続いて幼児が来るかも知れないことを考えて、目前二間位に迫るまで進行すべきでなく、しかも、前方二間に迫るまで前進を続け急いでかじを切るのは軽卒である、と主張した。「原院ノ認メタル所ハ……Aガ突然道路ノ右側（西側）ヨリ左側（東側）ニ向ツテ横断セントシタリト云フニ在リテ、所論ノ如クBハAト約二間ノ距離ニ達シタルトキ始メテ同人ヲ発見シタルモノニ非ズ。然リ而シテ、前示ノ如キ速力ヲ以テ疾走セル自動車ガ急停車ノ処置ヲ採ルモ尚其ノ地点ヨリ二四尺乃至三一尺迄前進シ始メテ停車スルニ過ギザル事実ハ、是亦原院ノ認定シタル事実ナルニヨリ、当時Bニ於テ急停車ヲ為スモ尚Aト衝突スルノ危険アリタルヨリ之ガ処置ヲ採ラズ、同人ノ後方ニ出デントシ把手ヲ右ニ採リタルニ、Aガ急遽後方ニ戻リタル為之ト衝突シ、遂ニ本件事故ヲ惹起スルニ至リタルモノニシテ、叙上ノ如キ状勢ノ下ニ於テハ前示ノ如キ処置ニ出ルヨリ他ニ途ナカリシコトヲ推断スルニ難カラズ。」（大判大一五・四・一五新聞二五四一・五）。

【15】 運転手Yは前方を通行するXを発見して警笛を数回鳴らし、Xは道路左側に避けたのでYは右側に回転徐行し、Xの右方約三尺の距離を保ちつつXを避けて通過しようとしたところ、Xは突然自動車の前に走り寄つたために、急停車したが間に合わず傷害を与えた、という事案において、「Yガ右ノ如クXヲ通過セントシタル際一旦左側ニ避ケタルXガ突然其反対ナル右側ニ走リ出デシコトハ……到底何人ト雖モ予測スベカラザル不慮ノ事実ニシテ、斯ル場合之ヲ避ケンガ為メ自動車ヲ更ニ右方ニ転ゼントスルハ、道路ノ幅員ノ関係上不

可能」であり、「右側ニ転ズルト同時ニ急停車手段ヲ講ジテ衝突ヲ避クル如キモ又本件近距離ニ於テハ運転技術上到底為シ難キ所ニ属」し、「又左方ニ転ズルコトノ更ニ危険多カルベキヤ言ヲ俟タザル所ナレバ、右ノ場合ニ処シ急停車ノ措置ニ出ヅルノ外途ナキコト自ラ明白ニシテ、之レ洵ニ止ムヲ得ザル所ナリトス。」（大分地判昭三・五・二新聞二八四八・六評論一七民六八〇）

（八）　重過失の認定の多いこと　　自動車の運転上の過失がしばしば「重過失」と断定されるのも、注意をひく。重過失の認められた場合としては、せまい街路で同じ方向に進行する自転車を発見し、わずか一尺五寸ないし二尺の間隔しかないのに、安全に通過できるものと軽信し、自転車に衝突して転倒させ、操縦者が自動車の車輪にはさまれたのにも気づかずに進行を継続した場合（東京地判昭三・一・一四新報一四八・二四）、制限以上の速力で進行し、反対方向から自転車が進行して来たのに、先行荷馬車を追い越そうとして、速力をゆるめることなく突如ハンドルを右に切り荷馬車と併行した瞬間、自転車に接触した場合（東京地判昭一三・一二・二七新聞四三七九・一一）、交通の頻繁な交叉点の前で青信号を見て、一気に通過しようとし、速力をゆるめないで横断道路に進出した折、赤信号に変ったので、急いで停車しようとしたが、側面から出て来た自動車に衝突した場合（東京地判昭一二・七・一二新聞四一六六・四、評論二六民六四二）、見透しの不十分な日没後に、無燈火のまま時速三五キロで、しかも車道の右側寄りに自動車を運転し、前方から来る自転車に気づかず、これと衝突した場合（大津地判昭二七・五・二四下級民集三・五・六七八）などがある。なお、特殊自動車に関するものとしては、ラビットの運転免許を得ていない者が、ブレーキの不完全なラビットを運転し、二十七、八メートル前方を横断しようとする通行人を発見しながらそのまま運転を継続し、警笛も鳴らさないで前方を一気に通り抜けようとして、かえつて加速し、傷害を与えた場合（東京地判昭二九・九・一四下級民集五・九・一四八九）などがある。

(3)　運転者の典型的注意義務　　運転者に要求される注意義務の大多数は、交通取締法規（道路交通取締法・その施行令・道路運送法・道路運送車輌法・運送事業等運輸規則・自動車道路標識令等）で要求されているものだが、かならずしもそれに限らないから、判例によつて要求される運転者の具体的注意義務したがつて過失の態様も、実に多種多様であつて、それらをいちいち説明することは煩にたえない（詳細については、佐瀬・交通事故と損害賠償、千種「判例より見た自動車事故と民事責任」法律時報七巻一二号、刑事判決については大塚「自動車運転者の注意義務」法律時報二九巻一一号）。ここでは、運転者の典型的な注意義務を例示するにとどめたい。

（イ）　運転者は、まず、発車に際して、車体（機械やブレーキなど）を検査しなければならず、また運転中も故障発見に努むべく、故障を発見したときは修理等事宜に適した処置をとらなければならない（大刑判大一二・五・二四刑判二・四四八、大刑判昭五・九・六新聞三一八二・四、大刑判昭六・四・八新聞三二一八・一五）。

（ロ）　発車の際に付近に子供がいたとか現にいる場合には、進路に子供が立入つていないかどうかをよく確認してから発車すべく（東京高判昭三一・一〇・八判例時報九五・一三、福岡高刑判昭三〇・六・一四特二・六五一）、また、満員バスがとびらを閉めないで発車しようとする場合には、「極めて高度の」注意義務が要求され（東京地判昭二七・四・二三下級民集三・四・五四五）、バスに積残し客があり、しかも民家の板塀との間隔が狭いような場合には、「自動車前方のみならず左方積残し客の存在に十分に注意を払」わなくてはならない（福岡高刑判昭二九・一一・一九特一・四八四）。

（ハ）　後退に際しては、「細心ノ注意ヲ以テ自動車ノ直後ニ危険ナキヤ否ヤヲ確認」すべく（大刑判昭九・一二三・一〇刑集一三・一七〇九）、「後方ヲ見透シ得ザル場合ハ降車等機宜ノ方法ニ依リ後方ニ危険ナキコトヲ確認」しなければならない（大刑判昭一四・一一・二七刑集一八・五四四）。

（ニ）　横断者を認めたときは、その者が自動車の疾走によつて逃避して度を失うかも知れないから、徐行等「細心ノ注意」を払わなければならず（大刑判昭一〇・七・六刑集一四・七・八〇、大刑判昭一三・八・一九刑集一七・六三八【98】）、停立者を認めたら、「停立者ノ側面ヲ通過シ終ル迄最徐行ヲ継続スル　カ或ハ停立者ガ安全ノ位置ニ避譲シ危険ナキニ至リタルコトヲ確認シタル上始メテ最徐行ヲ解」くべきである（大判昭一二・六・二三判決全集四・一三・一六）。道路に児童の群（大刑判大一三・三・三一刑集三・二五九（判民二四事件平野）、大刑判昭八・七・三刑集一二・一〇六九、大阪地判昭三二・六・一二下級民集七・六・一五三三）、幼児（大刑判大一二・一〇・二二刑集二・七三八、大刑判大一四・六・一〇刑集四・四〇一、大判昭九・五・二六新聞三七二二・一三）または老人（大刑判大一五・二・四刑集五・一七）を発見したときは、とくにふかい注意を払うことが要求されている。

（ホ）　停車した電車に接近する前には、停車するか少くとも徐行する等適切な操車方法をとつて、不用意な降車客に対する危害を避けられるようにしなくてはならず（大刑判大一一・五・一一刑集一・二七四（判民二九事件平野））、電車とすれちがう際、その後方から自動車の進路を横断する者のあるおそれがあればいつでも停車できる処置に出て、警笛を鳴らし徐行しまたは避譲する等しなければならない（大刑判大一四・一〇・三刑集四・五七〇【3】）。

（ヘ）　他の自動車に追随する場合には、速力を調節し、かつ前車との距離に注意すべきであり（大刑判昭八・七・七刑集一二・一一八四）、先行する自転車を追い越そうとするときは、自転車の動きに応じていつでも適当な処置がとれるように注意しなくてはならない（東京地判昭四・一一・一四新聞三〇七〇・一二）。せまい道路上に荷車ひきの待避しているのを発見したときは、その荷車に接触しても激動を与えない程度の速力で進行すべきである（大刑判大一一・一一・二四刑集一・六八六（判民八二事件平野））。

（ト）　交叉点を通過する場合には、速力を適当に低下し、安全なことを見定めた上で通過すべく

（大判昭八・七・三一民集一二・二四二一（判民一六六事件吾妻））、混雑した電車停留所を通過する場合には、警笛を鳴らし、いつでも急停車できるように徐行すべく（大刑判昭二・一・一九刑集六・一）、電車の踏切前では一たん停車すべく（大判昭一五・四・五民集一九・六六八（判民三七事件野田））交通がひんぱんで比較的せまくしかも露地のある道路では、警笛を鳴らし速力をゆるめるべきである（大判昭二・六・二三新聞二七一六・七）。

（チ）自動車の往来が頻繁でしかも幅員のせまい道路（五メートル半）を自動車がすれちがう場合には、一方が停車して他方を通過させるか、双方とも極度に減速徐行しなくてはならない（東京地判昭三〇・七・一一下級民集六・七・一四六一）。

（リ）夜間暗い街路を進行する際前照燈が故障したときは、停車・最徐行・警笛吹鳴等の手段をとらなくてはならない（大阪地判昭六・三・一六新聞三二五一・一四）。

（ヌ）トラックの運転者は、積荷の調整について充分配慮し、特異な積荷状況にあるときは、そのことを充分認識した上でこれに対応する措置を講じなくてはならず（福岡高刑判昭二九・一〇・二二特一・三六一）、助手や荷主が同乗しているときでも、積荷の転落によつて通行人に危害を及ぼさないように注意しなくてはならない（大刑判昭九・九・一〇刑集一三・一一五八）。また、トラックやその牽引する車に大きい貨物を積せて電車の踏切を横断する場合には、貨物が電話線等線路付属の工作物に接触することのないように確かめた上で、通過すべきである（大阪地判昭三一・九・一八下級民集七・九・二五七一）。

（ル）てんかんの病気のある運転者は、かような病状を呈したときは、一時運転を中止すべく（東京地判昭二九・六・二八下級民集五・六・九六五）、疲労・睡眠不足の場合も、その回復をまつて運転に従事すべきである（東京高刑判昭二八

・一二・二三東京高時報四・一九六）。

（ヲ）　自動車を車庫に入れる際にも、ギアを安全位置に復し、クランクを回転してもただちに進行することのないようにしておかなくてはならない（東京地判昭五・二・一二新聞三〇九一・一一）。

（ワ）　自動車運転の免許を欠く場合でも、要求される注意義務に差異のないのはもちろん（大刑判大一三・三・三一刑集三・二五九（判民二四事件平野）は免許がなくても刑二一一条の「業務」となるとしている）、むしろ、免許をもたず自動車の運転にも習熟しない者は、道路で自動車を運転すべきではない（東京高判昭三〇・一一・二六下級民集六・一一・二四七〇）。――免許証をもたないからといつて、事故について過失のない以上、過失の責を問われるべきではあるまいが（無免許医師に関する【95】参照）、事故発生の際過失の推定を受けてもやむをえないであろう。

二　有軌道交通（汽車・電車）の場合

一　企業者の場合

(1)　踏切の保安設備の設置に関する場合

（イ）　保安設備の設置の注意義務

(a)　一般の場合　汽車・電車等の高速度交通事業を営む企業者は、事故防止のため、専用軌道と道路との交叉する踏切に、警報器・遮断機・番人等の保安設備を設置することが望まれる。だが、保安設備にはかなりの費用を伴うので、これを無制限に強制することは、企業の存立を危うくすることにもなる。かような考慮から、軌道に関する法令は、交通頻繁な踏切について保安設備の設置を命じ（日本国有鉄道建設規程五二条、軌道建設規程二〇条二項）、あるいは、交通頻繁で展望不良の踏切について保安設備の設置を命ずるにすぎない（地方鉄道建設規程二一条三項）。

従来の判例（といっても下級審判決だが）のなかには、右の規準に適合しないものについても、保安設備の設置を要求しているものがある。まず、「交通頻繁」と「展望不良」のどちらか一つを欠く地方鉄道の踏切にも、危険性のある場合には保安設備の設置を要求している。たとえば、阪神電鉄が、人畜の往来頻繁であるほか、勾配があるため上り下りとも速力増加の傾向となる踏切について、遮断機も番人も設置しなかったのを、過失とするもの（神戸地判（裁判年月日不明）評論一六民二一八、新報二八・（大一五・八・五）二二）、交通は頻繁でないが（朝七時ごろから日没まで一時間平均十人ないし十五人）、「見通し悪く且つ附近の情況より見て踏切通行人のため危険なる個所である」ことを理由に、南海電鉄が戦災によってその番小屋および遮断機を焼失したまま終戦後一年半も放置したのを、過失とするもの（大阪高判昭二八・一一・三〇下級民集四・一一・一七四四）があるのである。また国鉄運転総局長の通牒による保安設備標準や運輸省鉄道監督局長建設省道路局長の通達による軌道の踏切道保安設備設置標準に達していない踏切について、公道からの見通しが悪く、附近に警笛・騒音が多くて、踏切通過の警笛がかならずしも明瞭でないこと、自動車の通行が可能で、一日に、人二七三名、自転車その他約一四〇が通行し、電車・汽車の通行は六〇七回であること、および、年に一、二回事故があり、附近の住民から保安設備の要望があったことを理由として、保安設備を設置すべきだった、とするものも見られるのである（東京高判昭三〇・一一・九下級民集六・一一・二三五〇）。

さらに、踏切の交通量によって、保安設備の種類に区別が設けられ、たとえば近時の国鉄の取扱基準によれば、交通量一日平均四千人以上の踏切には門扉、二千五百人以上四千人以下の踏切は警報機、二千五百人以下の踏切には原則として設置しないことになつているが（東京地判昭二八・一二・二四下級民集四・一二・一九七八参照）、判例は、単に交通量だけで保安設備の程度を決めることなく、「交通頻繁」・「見通し不良」の上に「危険性」の加わるところでは、警標や警報器だけでは足りないとしている（東京地判昭五・一二・八新聞三二一二・七評論二〇民三六五）。この判例の態度は、「危険性」を保安設備設置の一原因とみようとするさきの原則のコロラリーともいえるであろう。

(b)　夜間の場合　ひる間は看守を置きながら夜間になるとこれを撤去する踏切が少くないが、看守の撤去された後に事故の発生した場合に企業者の過失を認定する標準は、どのようなものだろうか。

まず、公衆にも危険防止の注意義務のあることを考慮に入れて企業者は踏切の設備を増減してよい、とする大正一五年の大審院判決が、注目される。

【16】　Xは午後一一時ごろ、酒を飲んで道を急いでいたため、踏切の掲示に気がつかず、列車にふれて負傷した。この踏切には遮断機があつて、午前六時から午後一〇時までは番人がついていて開閉するが、その他の時間は番人がいなかつた。Xは、十一時以後も通行がまれでないのに番人を置かず、掲示とても燈火の設備がないために判読しえないのは、国Yの過失だと主張したのである。原審はYの過失を認めたが、大審院は公衆にも危害防止の注意義務あることを詳細に説明した上、次のように判示して、破毀差戻をした。「今原判決ヲ観ルニ、原裁判所ハ、先ヅ夜間ト雖通行人ノ少カラザル踏切ニ在リテハ、『公衆ニ対シ汽車ニ注意セシメ且交通ノ危険ヲ防止スル相当ノ手段ヲ施スベキ注意義務』ヲ鉄道経営者ニ於テ負担スルモノナリトノ前提ヲ構ヘ、更

ニ進ミテ、当該踏切ヲ横ギル街路ハ幅員一間ニシテ、沿道大概人家アリ、事故当時ニ於ケル普通ノ状態トシテハ、午後十一時過ト雖通行ノ稀ナラザル場所ナルニ拘ラズ、午後十時以後ハ番人ヲ置カズ、且其ノ『コトヲ明示セル掲示ハ勿論汽車注意ノ掲示スラ暗夜通行人ノ認メテ判読シ得ベキ燈火ノ設備ヲ為シ置カザリシ』事実ヲ確定シ、依テ以テ上告人ニ不注意ノ責アリト為セシモノナリ。所謂『交通ノ危険ヲ防止スルニ相当ナル手段』トハ、之ヲ本件ノ場合ニ就キテ云ヘバ如何ナル具体的施設ヲ指スモノナリヤ、得テ推シ難シト雖、要スルニ、原裁判ハ危険防止ニ付只管鉄道経営者ノ責任ヲ問フニ急ナルノ余リ、此ノ種必須欠クベカラザル公共的設備ニ対シテハ、一般公衆ノ側ニ於テモ亦危害ノ減少ト云フコトノ為ニ其当ニ執ラザルベカラザルノ注意アリ、此ノ事ヲ斟酌シテ施設ヲ増減節度スルハ経営者ノ措置トシテ決シテ失当ナラザル場合アルコトニ想到セズ、為ニ此ノ点ニ関シ何等ノ審究省察ヲ加フルコトナク、唯僅ニ掲示ヲ明認シ得ベキ燈火ノ設備ナキノ事実ヲ捉ヘテ輙ク判断ヲ下スノ違法ヲ敢テシタルモノニ外ナラズ。」（大判大一五・一二・一一民集五・八三三（判民一一四事件末延））

不法行為制度の趣旨から見ても、損害発生防止義務は関係当事者に公平に分配されるべきだが、鉄道企業の公共性は一そう公衆の協力を要請する。それに、軌道の存在は、公衆の事故回避をわずかの注意で可能にするものであるから、鉄道業務者に要求される注意義務は僅少で足りるともいえる。したがつて、学者もこの判決に賛成し、その重要性を指摘したことであつた（判民大正一五年一一四事件末延）。だが、この判決に対して、他方では、軌道設備の瑕疵として七一七条による無過失責任を認めるべきである、という批判も加えられており（我妻・前掲一〇九頁註八）、また、次の判決の論法をもつてすれば、過失を認定することも可能だつたといえよう。

すなわち、昭和一七年の大審院判決【17】は、七時以後看守を撤去しながら、その旨を明示する警標や照明を設置しなかつた企業者の、過失を認定しているのである。この判決が、遮断機のある踏切で夜だけ看守を撤去して遮断機を開放すればかえつて通行安全の状態と速断しやすい点を指摘しているのは、注目に値する。

【17】「遮断機ノ設備アル踏切ニ於テ遮断機カ開放セラレタル場合、其ノ踏切ニ差シカカリタル者ハ、特ニ警手ノ出務時間ノ事情ニ通ゼザル限リ、右踏切ハ通行安全ノ状態ナリト速断シ易ク、従テ深ク注意ヲ払フコトナク漫然ト踏切内ニ立入ルコトアルベキハ、原判決説示ノ如クニシテ、斯カル踏切ニ付テハ、警手不在時ノ交通量及周囲ノ状況等ニ依リテハ、鉄道営業者ニ於テ、危険防止ノ為メ、踏切警手ノ出務時間ヲ明示シ、且警手不在ノ時間ニハ不在ノコトヲ注意セシムル為其ノ踏切ニ適当ナル警標ヲ掲ゲ、又夜間ニ於テハ右ノ警標ヲ電燈其ノ他ニヨリ照明スベキ設備ヲ為スヲ必要トスベキハ、当然ニシテ、所論ノ如ク、一般通行人ニモ危害防止ニ協力スベキ責務アルノ故ヲ以テ鉄道営業者ニ右ノ如キ警標及照明ノ設備ヲ為スノ義務ナシト断ズルヲ得ズ。又当時ノ情況ニシテ危険防止ノ為メニ此等設備ヲ必要トスルニ於テハ、上告人ハ鉄道営業者トシテ此等設備ヲ為スベキ注意義務ヲ負担スベキコトハ一般社会通念上当然ノコトニシテ所論ノ如キ法規又ハ鉄道省達ニ何等ノ定ナキ故ヲ以テ直ニ上告人ニ此義務ナシト謂フヲ得ズ。」（大判昭一七・九・五新聞四七九九・一七評論三一民四二九）

（ロ）　工作物責任（七一七条）の適用　　判例のなかには、保安設備設置の基準に達しない踏切についても、『危険性』を理由に保安設備設置の義務を認めるものがあること、上述のとおりだが（一二三頁）、近時の判例には、あえてこの方向に進むことなく、民法七一七条によつて企業者の責任を肯定する傾向が現われている。

すなわち、昭和二六年八月一五日東京地判（下級民集二・八・一〇〇三）および昭和二八年一二月二四日東京地判

（下級民集四・一二・一九七八）【18】は、踏切近くに小学校をひかえ、被害者は小学生であり、しかも展望は不良であるという場合に関して、——前者は直ちに、後者は企業者の過失を一たん否定した上で、——踏切の保安設備は踏切の軌道と合して土地の工作物を形成するから、保安設備の欠陥は工作物の瑕疵に該当するという理論のもとに、企業者の責任を認めたのである。

【18】「軌道施設が民法第七一七条にいう土地の工作物に該当することはいうまでもないが、右規定は踏切における門扉、警報機等の保安設備を除外する趣旨ではなく、且つ……既に設置された工作物自体に限られ、将来設置されるべき工作物としての保安設備等を含まないとする趣旨のものとも解すべきではなく、保安設備が設置された場合には軌道施設と相俟つて交通事業の企業施設を構成することは勿論であるから、軌道施設保安設備は全体として一つの工作物として考察すべきであり、保安設備の欠陥は右の全体としての工作物の設置又は保存に瑕疵がある場合に該当することがあると解すべきである。」「一般に保安設備の欠陥が土地の工作物の瑕疵といえるかどうかは交通量、踏切附近の状況その他一切の事情を考慮して社会通念によつて当該踏切に保安設備が必要とされるか否かによつて決せられるものと考えるのが相当である。」「通行人の年齢如何により特殊の事情ある踏切道については右基準〔国鉄の採用する基準〕によるのみでは設置に瑕疵のない工作物ということのできない場合を生ずるものというべきである。」（東京地判昭二八・一二・二四下級民集四・一二・一九七八）

(2)　車体およびその付属物の整備に関する場合　この問題に関する注目すべき判決としては、終戦後の資材不足時代に生じた事故に関するものがある。当時における車体付属物の破損は現在では到底考えられないほどひどいものであり、企業者は資材不足のためこれを放置していたので、車体付属物の整備が不完全なために生じた事故も少くなかつたのである。だが、これはいわば社会的不可抗力とでもいうべきものであつた。かような事故による損害を何人の——つまり企業者と乗客とのどちらの——負担に帰せしめるかは、過失責任主義を採る民法のもとでは、きわめて困難な問題である。

まず、昭和二五年の大阪地判【19】は、電車の扉が自動開閉式だつたのが故障し、手動式で開閉していたところ、扉にダッチが設備してなくて完全に施錠できず、進行中（何人か乗客の故意によつて）扉が開いて、乗客が転落した事件に関するものであるが、原告が、忍錠の設備が必要であると主張したのに対し、当時かような設備を期待することの不可能なことを主な理由として、会社の責任を否定している（従業員の過失も否定している）。これは、交通地獄とか資材不足とかいう社会的事情を背景として『期待可能性』の理論を適用するものだが（【11】【22】対照）、被害者の被つた損害の完全な塡補を究極の理想とする不法行為法の精神からは遺憾な解決というほかはない（我妻・前掲一八一頁が鉄道・自動車等の交通企業にも七一七条を適用すべしとするのを参照）。

【19】「戦争中に相当甚大な被害を被つた交通機関が、終戦後其の復旧への努力にも拘らず車輌不足は容易に緩和されず、加うるに当時集団買出人等の為、又は戦後の一般道徳低下に伴い交通道徳も極度に低下し、所謂交通地獄を現出し故意に窓硝子其の他を破壊する等の行為を為す者続出し、その修理を為さぬまま已むを得ず運転して居つたことは顕著な事実であつて、原告の主張するが如き設備をすることは交通の安全の為には勿論必要ではあるが、前認定の如くかかる設備を為さぬ為に特に危険でない以上、被告会社が当時の交通機関の状態に於て原告等主張のような施錠設備を為さず電車を運転したとしても当時の資材其の他の関係で真に已むを得なかつたと謂うべく、被告会社にかかる設備を当時為さなかつたことに対する法律上の責任を問うことは出来ぬものと謂はなければならない。」（大阪地判昭二五・八・七下級民集一・八・一二〇二）

右に反し、車内の吊革を整備しなかつたために、急停車に際して乗客が折り重つて倒れた事件

（昭和二四年）に関しては、昭和二六年の東京地判【20】は次のように判示して、会社がわの過失を肯定している。この判決は、急停車した運転士に関してはその過失をあっさり否定しながら、会社の責任を認めている点でも、注目されるのである。

【20】「鉄道運送を業とする会社としては、乗客の安全のためにはできる限りの施設を整備すべき義務を負うものといわなければならない。そして、高速度で進行する電車においては、乗客は常に多少の動揺を受けるものであるのみならず、特に電車進行中運転士が制動をかけて急停車し、或は急停車に至らないまでも急激に進行速度を変える必要が起ることは屡々であり、かような場合には立乗りの乗客に強い衝撃を与えることは前記のとおりであるから、立乗りの乗客のために、その身体の平衡を保たせる施設即ち吊革を整備しておくことは、鉄道を経営する会社の義務であると解するのが相当である。今次大戦中から終戦後にかけて資材が極度に不足し、車体又は諸施設の破損部分に十分な修理、補修を加えることを期待することが無理であつた頃においては、吊革の整備不十分ということをもつて鉄道会社に責任を問うことは酷であつたといえるにしても、終戦後三年近くを経過した本件事故発生当時においては、国力もかなり回復し資材も漸次出まわつてきていたのであるから、前記吊革の補修を怠つたことは被告の過失である、といわなければならない。」（東京地判昭二六・五・二六下級民集二・五・七八一）

(3)　煙害の予防に関する場合　次の判決は、鉄道が「武田信玄旗立の松」のすぐそばに本線および復線を布設したために、機関車の煤煙で松を枯死させた事件に関する。この上告審判決（大判大八・三・三民録二五・三五六）は、権利濫用による不法行為を認めたものとして有名だが、ここに引用するのは、控訴審判決の過失に関する部分である。

【21】「石炭ノ煤煙ガ樹木ニ害ヲ及ボスコトハ世上実例ニ乏シカラザル所ナルヲ以テ、鉄道運送ニ従事スル者ニ在リテハ機関車ヨリ噴出シタル煤煙ガ樹木ニ害ヲ及ボスベキコトヲ知ラザル筈ナシ。若之レヲ知ラズシテ煙害予防ノ為メ特ニ相当ナル方法ヲ施サザリシトセバ是レ其事業ヨリ生ズル結果ニ対スル注意ヲ不当ニ怠リタルモノト認ムルニ足ルノミナラズ、本件ニ於テ控訴人カ前記ノ松樹ニ対スル煙害予防ノ為メ相当ナル設備ヲ為サヾリシトノ被控訴人ノ主張ハ控訴人ノ争ハザル所ナルガ故ニ、本件ノ権利侵害ハ之ヲ予見セザリシコトニ付キ其行為者ニ過失アルモノト認ムルヲ相当トス。」（東京控判大七・七・二六新聞一四六一・八、評論七民五八七）

(4)　失火の防止に関する場合　最近の一下級審判決は、悪質な石炭を使用したためにその火粉で鉄道沿線にある工場に火災が生じた事件において、国鉄の『重過失』による失火責任を認めているが、この事件が石炭の欠乏はなはだしく、占領軍の需要を優先させていた昭和二二年のものであるだけに、鉄道経営上のきびしい注意義務を認めたものとして、きわめて注目に値する判決だといわなくてはならない。けだし、当時の事情からすれば良質の石炭を使用することを期待することはきわめて困難だつたはずであり、普通なら、結果回避不能ないし期待不可能の場合として良質石炭使用の義務が否定され、したがつて、抽象的軽過失さえ認められないであろうとおもわれるのに、逆に、重過失を認定しているからである。

【22】「しかし、右のような事情〔石炭の欠乏、占領軍の優先使用〕があつたとはいえ、一層良質の石炭を使用することが不可能であつたと認めることはできないのみならず、右にあげたような低品位粗悪な石炭を使用するにおいては、どのような設備方法を施してもなお或程度散火による沿線火災を防ぎ得ないことは、国有鉄道当局において認識していたと解すべきであるから、このような認識がありながら列車の運行をしていたこと

は、その心的態度において、列車の散火による沿線火災が発生しないように希望し、或いは期待したとしても右の行為は重大な過失の域を脱するものではない。」「従つて右のような特別の状況下における鉄道事業運営者の防火上の注意義務は軽減されるよりは、むしろ加重されるべきものだからである。」（東京地判昭二九・九・二五判例時報三八三・）

(5)　なだれの予防に関する場合　次の大審院判決は、いままでなだれの発生したことのない場所になだれが発生して列車に危険を及ぼした場合に関し、なだれ予防の設備をしなかつた過失を認定した原審判決を破棄して、事故発生の予測が可能だつたか否かをもつと慎重に検討すべきことを命じている。

【23】「従前本件現場ノ断崖ヨリ落石アリテ列車ニ危険ヲ及ボス虞アリタルヲ以テ、之ヲ防止スル為昭和二年原判示ノ擁壁ヲ設置シタルガ、該擁壁設置前ハ勿論其ノ設置後本件事故発生ニ至ルマデ雪崩ニ因ル危険ヲ感ジタルコトナキ事実ヲ認メ得ラレザルニ非ズ。加之右擁壁設置迄十数年間ノ経験上雪崩ノ被害実例ナカリシ事実ハ原審ノ判示スル所ナリ。然ラバ本件現場ニ於ケル地形其ノ他ニ特段ナル変化ナキ以上、落石ニ因ル危険ハ兎モ角、雪崩ニ因ル危険ニ付予想セザルハ通常ノ事理ト謂ハザルヲ得ズ。故ニ上告人ニ対シ本件事故ニ付過失ノ責ヲ負ハシメントセバ、雪崩ノ発生スベキコトヲ予想シ得ル事由トシテ、原判示ノ如ク本件現場ノ地勢並本件事故発生当時ノ積雪及風速状態ヲ確定スルノミヲ以テハ足ラズ、更ニ本件事故発生以前少クトモ鉄道開通以後ノ冬季積雪量風速及其ノ方向気温等諸般ノ事情ヲ検討考量シ、且積雪ト雪崩トノ因果関係ニ付多年ノ経験ト科学上ノ考察トヲ応用シタル上、果シテ本年ノ如キ事故ノ発生ヲ予想シ得ベキモノナリヤ否ヲ判断セザルベカラザルヤ当然ノ筋合ナリト謂ハザルベカラズ。」（大判昭一六・六・六法学一一・九五）

(6)　落石による事故の防止に関する場合　線路に岩石・土砂の墜落したことのある近くで、墜落した岩石の上に列車が乗り上げて、乗客が死亡した場合に関し、原審は、鉄道運転規程二条三項の趣旨に従ってとくに番人を置きつねに線路を看守し夜間も巡視させたなら、岩石の墜落を発見して事故の発生を防止できたはずだとして、鉄道がわの責任を認め、鉄道がわは、同規程は「巡視」を命ずるものでないと反論した。大審院は、この規程を待つことなく、当然に夜間巡視の義務があるとする。

【24】「鉄道運転規程ニ番人ヲシテ看守ノ場所ヲ去リテ巡視セシムベキ旨ノ規定ナシトスルモ、線路ノ故障ニ因リテ列車ノ運転ヲ危険ナラシムル虞レアルガ如キ場合ハ、常ニ線路ヲ看守シ夜間ト雖モ之ヲ巡視セシムルヲ要スルコト原判決ノ説示セルガ如クナルコトハ、必ズシモ運転規程ヲ俟テ知ルベキコトニ非ズ。苟クモ斯ル危険ノ発生シ易キ鉄道運輸業務ニ従事スル者ナル以上日常斯ル注意ヲ為スベキハ事業ノ性質上寧ロ当然ナリト謂ハザルベカラズ。原判決ガ運輸規程第二条第三項ヲ引用シタルハ如上線路ノ巡視ガ同条項ノ適用トシテ遵守セラレザルベカラザルコトヲ言ヘルモノニ非ズ。」（大判大九・六・一七民録二六・八九一）

二　運転士（機関士）の場合

(1)　踏切通過の場合に要求される注意義務の原則　汽車・電車の運転士に要求される注意義務も実に多種多様で、それをいちいち述べる余裕はない。ここでは、それらのなかでももっとも問題となり、運転士の注意義務の特性をもっとも顕著に示す場合をとりあげる。すなわち、踏切、それも保安設備のない踏切を通過する場合の注意義務である。

この場合がとくに問題となるのは、そこには次のような二つの相反する要求が含まれているからである。すなわち、一方において、汽車・電車の運転というような危険発生のおそれの多い業務に従事する者は、取締規則の命ずる注意義務のほか法律上一般に危険発生を予防すべき注意義務を負っているから（かような趣旨を述べる判決は多い。たとえば大刑判大三・四・二四刑録二〇・六一九）、保安設備のない踏切における事故発生防止の注意義務は、まず運転士に対して要求される。しかし、他方において、不法行為制度の趣旨および汽車・電車の交通機関としての特性を考えると、高速度交通によつて利益を受ける公衆もまた危険発生防止の注意義務を要求される。しかも、汽車・電車の踏切のように、専用軌道の存在することが明確なところでは、公衆はわずかの注意で容易に危険を回避しうるから、その運転士に対して自動車運転手に要求するほどのきびしい注意義務を要求する必要はなく、むしろ、高速度交通機関としての特性を充分に発揮することこそ望ましいということになろう。

第一の要求をつらぬけば、保安設備のない踏切を通過するに際しては、運転士は前方を注視し、場合によつては、警笛を鳴らして、踏切に近づく通行人に対して警告を発するにとどまらず、万一に備えて徐行すべき義務を負うことになる。これに対し、第二の事情を考慮すれば、運転士は、前方を注視し、場合により警笛を鳴らすだけで足り、徐行するにはあたらないことになろう。

判例の立場は、『原則』としては、第二の要求に従つて、主として通行人に危険防止の義務を課しつつ、運転士の前方注視義務および、場合によりなお警笛義務しか認めないが、『例外』的場合には第一の要求に従つて運転士の徐行義務ないし停車義務を認めているということができる。この判例の態度を自動車運転者の場合（一〇九頁以下）と対比して示せば、次のようになるであろう。

（イ）　運転士は事故の発生を未然に防止すべき注意義務を負い、それは取締規則に規定されたものに限定されない、という点では、自動車運転者の場合と異らない。たとえば、鉄道の機関手は、後に引用する判決【26】【27】もいうように、つねに前方を警戒すべき注意義務のあるほか、運転取扱心得に規定する汽笛吹鳴警標の設けのある踏切ばかりでなく、汽笛吹鳴警標の設けのない踏切を通過するに際しても、「事宜ニ依リ汽笛ヲ吹鳴シテ列車ノ通過ヲ合図シ」なければならないのである【25】。

しかし、運転士にはそれ以上の注意義務は要求されず、ただちに通行人の危険発生防止義務を要求する第二の原則に移行するのであつて、自動車の運転者に対して要求されたような、交通機関としての効用を減殺する結果となつてもあらゆる手段を用いて事故の発生を防止しなければならない、というようなきびしい注意義務は、ここでは要求されていないことに、注意しなければならない。すなわち、判例は、古くから、学者のいわゆる「許された危険」(erlaubtes Risiko) の理論を承認していたわけである。

【25】「踏切道中通行頻繁ナルカ若ハ其ノ他ノ事由ニ因リ列車通過ノ際常時汽笛ヲ吹鳴スルノ必要アル箇所ト否ラザル箇所トガ存在スペキヲ以テ、法ハ特ニ運転取扱心得第百九十四条ノ規定ヲ設ケ、踏切道ニ対シ汽笛吹鳴警標ノ設アル箇所ニ在テハ列車ハ其ノ箇所ヲ通過スル際常ニ必ズ汽笛ヲ吹鳴シテ合図ヲ為サザルベカラザルコトヲ明ニシ、其ノ汽笛吹鳴警標ノ設ナキ箇所ニ在テハ事故ヲ惹起スベキ虞アル場合ノ如キ一般業務上ノ注意ヲ以テ緩急ニ応ジ機宜ノ処置ヲ執リ事故ヲ惹起セザル様努ムル所ニ任セ、列車通過ノ際常ニ必ズシモ汽笛ヲ吹鳴スルノ要ナキモノト為シタルニ外ナラザレバ、機関手ハ機関車ニ乗務シテ列車運転ニ従事スルニ方リ、踏切道ニ対シ縦令汽笛吹鳴警標ノ設ナキ箇所ナリトモ、事宜ニ依リ汽笛ヲ吹鳴シテ列車ノ通過ヲ合図シ以テ危険ヲ未然ニ防止スルノ業務上注意義務ヲ負担スルモノト論定スルヲ、法意ニ適シタル正当ノ解釈ト為サザルヲ得ズ。」（大刑判大一五・二・二二刑集五・一〇）

（ロ）かようにして、踏切において事故の発生を防止する義務は、主として通行人に転嫁される。

（ハ）しかし、第三に、とくに危険発生のおそれのある場合には（第一の原則により運転士には危険発生のおそれのある事由を発見すべき義務はあるわけである）、事故を防止するために徐行ないし急停車する義務がある。

次に掲げる二つの大審院判決は、右の第二・第三の原則を詳細に説明しつつ、前者【26】は、当該事案を第二の原則の場合にあたるものと判断して、運転士の過失を認定した原審判決を破毀し、後者【27】は、第三の原則を適用して運転士の過失を認めている。なお、右のほか、刑事判決で同様の趣旨を明らかにしたものとして、大判大正三年三月一一日（刑録二〇・二七八）大判昭和一五年七月二三日（刑集一九・六〇九）大判昭和一六・六・二八（評論三〇刑一八四）などをあげることができる。

【26】「本件ノ如キ踏切ニ於テ通行人ガ列車ヲ避譲スル状況ヲ見ルニ、危険ナル地点ニ達スル迄ハ通行人ハ其儘進行ヲ継続シ、該地点ノ直前ニ於テ始メテ停止シテ列車ノ通過ヲ待チ、然ル後踏切ヲ横断スルヲ通常ノ事例トシ、列車ノ進行ヲ認ムルヤ直ニ其進行ヲ止ムルガ如キハ通常人ノ為サザル所トス。故ニ通行人ガ踏切ニ達スル迄其ノ進行ヲ継続スルモ、之ヲ以テ直ニ危険ノ切迫ヲ知ラズシテ踏切ヲ突破セントスル者ト速断スベキニアラズ。寧ロ踏切ニ向ヒ危険ナキ地点迄ハ其儘進行ヲ継続シ此ノ地点ニ於テ列車ノ通過ヲ待チ徐ニ踏切ヲ横断スルモノト予想スルヲ以テ、事理ニ適シタルモノト為サザルベカラズ。殊ニ本件踏切ニ於テハ、列車ガ約三百七十米ノ手前ニ差掛レバ通常人ハ之ヲ認識セザルヲ得ザルモノナルニ於テハ愈々其然ルヲ知ル。然ルニ斯ル場合ニ尚列車ノ進行ヲ意識セズシテ踏切ヲ突破スル者少ナカラザルコトヲ予想スベキモノト為シタル原審ノ断定ハ経験律ヲ無視シタル独断ナリト謂ハザルベカラズ。但シ以上ハ列車ノ乗務員ハ斯ル場合ニ於テハ前方ヲ注意ス

ル義務ナシト為スニアラズ。固ヨリ周密ナル注意ヲ為シ防止シ得ベキ事故ハ之ヲ防止スル為適当ナル処置ヲ執ルベキハ勿論ニシテ、通行人ノ態度其他諸般ノ状況ニ依リ通行人ガ列車ノ進行ヲ意識セズシテ踏切ヲ突破セントスルモノナルコトガ、事前ニ於テ詳言スレバ乗務員ガ事故防止ノ為適当ナル処置ヲ執ルコトヲ要スル時以前ニ於テ乗務員ニヨリ認識セラレ得ベカリシニ拘ハラズ、之ヲ認識セズ為ニ事故ヲ発生セシメタルガ如キ場合ハ、固ヨリ過失ノ責ヲ免レズ。」（大判昭一〇・一一・二二評論二五民八二六、裁判例(九)民二九〇）

【27】「電車ガ進行シテ踏切ニ近ヅキ来ルニ方リ踏切ヲ通過セントシテ進ミ来ル通行人アリ。若シ其歩ヲ止メズシテ踏切ヲ通過スルニ於テハ電車ノ衝突スル虞アル場合ニ在テ、電車ノ運転手ハ電車ノ進行ヲ停止シ通行人ノ踏切ヲ通過スルヲ待タザル可ラザルヤ。公衆ノ通行機関トシテ可成其進行ノ渋滞セザランコトヲ期スベキ電車ニ望ム可ラザル所ナルノミナラズ、電車ノ進行ハ通行人ガ其歩ヲ止ムルガ如ク直チニ停止シ得ベキモノニ非ザルハ、寧ロ通行人ニ於テ危険ヲ慮リ電車ノ通過ヲ待ツベキモノナルコトハ、固ヨリ否定スベキニ非ズ。故ニ電車ノ運転手ハ、通行人ガ尋常ノ態度ニ於テ踏切ニ向ヒ来ル場合ニ在テハ、通行人ニ於テ電車ノ通過ヲ待ツベシト期待スベキ理由アルヲ以テ、通行人ノ踏切ニ向ヒ来ルヲ覚知シタルノミニテハ未ダ電車ノ進行ヲ停止シテ万一ノ危険ニ備フルノ注意ヲ為スヲ要セズ。従テ通行人ガ踏切ノ通過ヲ敢テシ衝突ノ災害ヲ招キタルトキハ運転手ニ過失ノ責ヲ帰スルヲ得ズ。然レドモ危険ヲ伴フ電車ヲ操縦スル運転手ハ常ニ進路ノ前方ヲ警戒スベキハ勿論、危険ノ生ズルコト無キヤニ注意シ、危険ノ生ズベキコトヲ予想シ得ベキ場合ニ於テハ、電車ノ進行ヲ緩徐ニシ又ハ停止シテ危険ヲ未然ニ防止スルノ処置ヲ執ラザル可ラズ。故ニ通行人ガ電車ノ進行ニ留意セズシテ踏切ノ通過ヲ敢テスルモノト予想スベキ事情ノ存スル場合ニ、之ヲ察セズシテ如上ノ処置ヲ執ラズ通行人ニ電車ヲ衝突セシメタルトキハ、通行人ニ過失アルト否トヲ問ハズ過失ノ責ニ任ゼザル可ラズ。」（大判大八・二・七民録二五・一七九）

(2)　右の原則の具体的適用　上述のところからも明らかなように、過失の認定上もっとも問題となるのは、運転士よりも通行人に危険防止の注意義務が要求される原則の場合と、運転士の危険防止義務のとくに強化される例外の場合とは、どのような基準によつて区別されるか、という点である。

刑事上の責任に関しては、右に述べたような理論が確認された後も、しばらくの間は刑事判決としてはきびしすぎる注意義務を運転士に要求し、例外を原則とするかのような判決も少くなかつたが、比較的近時のものは、右の理論を割合忠実に適用している（この点については、藤木・前掲・法協七四巻三号二七九頁以下、井上「過失犯の判例と批判」警察研究二八巻六号五七頁以下、谷口・前掲・ジュリスト一四二号二五頁参照）。

民事判決（主として下級審判決ではあるが）をとおして右の判例理論の具体的適用を見るに、運転士の事故防止義務がとくに強化される場合、すなわちとくに事故発生のおそれがある場合は、次のような諸場合とされているのである。

（イ）　電車が踏切近くの停留場に停車しないでそのまま進行し踏切を通過する場合

【27】の大審院判決は、運転士が、踏切に向つて疾走して来る被害者を認めながら、停留場に停留しないで進行する場合であるのに、スピードを加えて踏切に接近し、被害者と衝突した事件に関し、「被害者ハ……停留場ニ停留スルナラント予想シ無難ニ踏切ヲ通過シ得ベシト思惟シテ……電車ニ留意セズシテ踏切ヲ通過スベク疾走スルモノト想察スベキ事情」があるから、停止すべき義務がある、として過失を認めている。

（ロ）　とくに危険な踏切

【28】「保安設備のない本件踏切が見通し困難且つ音響状態も悪く警笛も通行人に徹底し難い」から、警笛吹鳴のほか「運転速度も適宜に加減して慎重に進行すべき」である（大阪高判昭二八・一一・三〇下級民集四・一一・一七七四、その第一審判決である大阪地判昭二七・八・二〇判タ二八・六八も同旨）――本判決は会社の過失も認定する。

【29】保安設備のない踏切が駅の構内にあつて、降車した客等の進入してくるおそれがあり、見通しも十分

でない場合には、「運転手ハ右踏切前ニ於テ一旦停車シ横断者ノ有無ヲ確ムルカ又ハ少クトモ衝突ノ危険ノ発生シタルトキハ何時ニテモ停車シ得ベキ程度ニ速力ヲ減ジ徐行スルガ如キ処置ヲ採ラザルベカラズ。」（東京控判昭七・七・六評論二二民一二一七）。

（八）　踏切またはその付近で汽車・電車がすれちがう場合

【30】　保安設備のない踏切に向つて歩行する通行人を発見し、二、三回警笛を鳴らしたが、被害者は反対方向から警笛を鳴らして進行して来た上り電車に注意を奪われ、下り電車に気づかないのに、気づいたものと軽信して警笛を鳴らさず、速力も減じなかつたのを、過失とする。けだし、「電車ノ如キ高速度機関ノ操縦ニ当ル運転手ガ電車線路ノ踏切ヲ横断セントスル通行人ヲ見出シタル如キ場合殊ニ電車ガ互ニ擦違フ如キ際ニハ、通行人ガ一方ノ電車ノミニ心ヲ奪ハレ、反対方向ヨリノ電車ニ気付カズ、前者ノ通過セル直後ニ線路ヲ横断セントスルモノアルコト往々存スル事例ナルガ故ニ、運転手タル者ハ周到ナル注意ヲ払ヒ通行人ガ自己ノ操縦セル電車ニ気付キ之レヲ避譲スル状況ニ在ルコト明カナラザル限リ、単ニ音響器ヲ鳴ラシテ警戒スルニ止マラズ、機ニ応ジ非常停車ノ処置ヲ執リ或ハ随時停車シ得ル様其ノ速力ヲ調節スル等最善ノ用意ノ下ニ衝突ノ発生ヲ未然ニ防止スベキ業務上ノ注意義務アリ。」（大判昭一一・九・一一法学六・一）

【31】　踏切に停止している通行人を発見した場合に関し、「番人遮断機警報機等ノ設備ナキ踏切ニ於テハ、運転手ハ踏切脇ニ佇立スル者ハ総テ自己ノ運転スル電車ニモ注意スルモノト軽信スルコトナク、速度ヲ緩メ且擦レ違ヒノ前後ヨリ踏切ヲ通過シ終ルニ至ル迄継続シテ警笛ヲ吹鳴ス等危難ヲ避クルニ必要ナル周到ノ注意ヲ以テ電車ヲ進行セシムベキ義務アリ。」（東京控判昭七・一一・二九評論二二民二二一）

【32】　危険発生のおそれの多い踏切に保安設備がなく、しかも電車のすれちがう場合という二つの条件の競合する場合に関し、「須ラク電車ノ速度ヲ減殺シ何時ニテモ急停車シ得ベキ程度ノ速力ヲ以テ進行シ、通行人ノ其通行ニ気付カズ軌道内ニ入リ来タラントスルモノアル場合ニハ急遽之ヲ停車シ以テ衝突等ノ事故ノ発生ヲ

未然ニ防止スベキ義務ア」り。（東京地判昭五・一二・八新聞三三一二・七、評論二〇民三六五）

（二）幼者・老人などが踏切に近接し危険を感じさせる場合

【33】母親に連れられた子供が踏切近くにいたのに運転手が急停車しないで、ついに子供に衝突した事案において、原審判決が踏切と子供との距離について「極メテ近キ」という言葉で説明しただけで運転手の過失を認定したことを非難していわく、「通行人ガ電車ノ疾走スル際其線路ニ接近シタルトキト雖モ、其者ノ智能、体力ト距離ノ程度其他諸般ノ状況トニ依リ未ダ衝突ノ危険アリト謂フヲ得ザル場合ナキニ非ザレバ、通行人ガ危険発生ノ虞アル範囲内ニ進入シタリト判定スルニハ、通行人ノ智能、体力ハ勿論其通行人ガ如何ナル程度ノ距離ニ於テ電車線路ニ接近セルカヲ具体的ニ認定セザルベカラズ。若シ否ラズシテ其距離ニ付キ諸種ノ解釈ニ余地ヲ存スルガ如キ抽象的ノ説明ヲ為サバ危険発生ノ虞アリト認ムベキ事実上ノ根拠ハ結局不明ニ帰スベシ。」（大判大八・二・一民録二五・二四〇）

【34】傍論的ではあるが、「踏切内ニ立入ラムトスル通行人アルヲ認メタル場合ニ非常警笛ヲ鳴ラシテ之ニ警告ヲ与ヘタル以上、該通行者ガ特ニ警報ヲ弁識スル能力ヲ有セザル者ト認メラル場合ニ非ザル限リ、常ニ警報ト同時ニ急停車ノ処置ヲ採ラザルベカラザルモノト謂フヲ得」ず。（東京地判昭一四・三・一七評論二八民五八五）

【35】「A運転手は運転手としての注意義務を一応つくしたものと認められないでもないが、被害者は九歳の自転車に乗った少年であり、全く電車の進行に気付いた様子がないのであるから、そのまま踏切に乗り入れてくる危険を十分に考えて、非常警笛を鳴らして被害者の注意を喚起し、場合によっては電車の速度を減じ、又は電車を停止せしめて事故を未然に防ぐべきものであることは人命尊重の見地からいつて当然の事理に属するところであると考える。」（東京地判昭三〇・一一・二八下級民集六・一一・二四九〇）

三　企業者の過失と運転士の過失との関係

かように有軌道交通機関の運転士の注意義務は、自動車の運転者の場合とくらべて、あまり厳格でなく、特別の事情のある場合のほかは過失を認定されることが少いわけである。運転士の過失の否定される場合には、被害者に過失のあるのが通例だが、それにしても、保安設備の不備は必然的に危険をはらむ点学者のいわゆる抽象的違法行為というべきものであるから、過失責任にせよ工作物責任によるにせよ、ともかく企業者の責任を認めることが、望ましいといわなくてはならない。

次の大審院判決が――刑事判決ではあるが――運転士の過失を否定したあとで、それと企業者の保安設備欠如の責任とは別個の問題であることを付言しているのは、当然のことながら、判例が上述の方向へ進む道を用意したものとして、注目に値する（我妻前掲一〇九頁註八も、本判決の態度を称揚する）。

【36】「若シ夫レ斯ノ如キ踏切ニ於テ本件ノ如キ惨事ヲ生ゼシメタル場合、其ノ踏切ニ番人ヲ置カズ自動警報機ヲ設備セザリシ等、危険防止ニ関スル保安設備ヲ為サザリシ電気鉄道事業経営者ニ如何ナル責任ヲ生ズベキヤハ、自ラ別個ノ問題タルベキノミナリ。」（大刑判昭五・九・二三新聞三一七二・五）――事実は、保安設備のない踏切の手前約四間の箇所で、人影を認めて運転士が急停車の処置をとり、非常警笛を吹鳴したが、ついに通行人をひき殺したものである。

近時の判決（下級審）のなかに――全部が全部というわけではないが――この判決の指向する線を進めて、運転士の踏切徐行義務したがつて過失を否定しながら、踏切の保安設備不備について企業者の責任を認めるものが見られるのは（東京地判昭二六・六・一二判タ一五・六五、東京地判昭二八・一二・二四下級民集四・一二・一九七八）、注目に値する。

四　駅長・助役・車掌等の場合

停車場において、停車場構内に事故または事故発生の危険の有無を看視し、汽車・電車の通過に危険がないことを確認した上で通過させる職責を有する駅長・助役や、車内にいて旅客・荷物を安全に輸送する職責を有する乗務車掌の注意義務は、一定の軌道の上で汽車・電車を走らせるという限定された職責を有する運転士に要求される注意義務よりも、きびしいものがあるようにもおもわれる。とくに車掌についてその感をふかくする。

(1) 発車合図に関する場合

(イ) 駅長・その代理者の場合

【37】貨物列車通過の際に駅長が駅長室にいたのは、構内で積込作業に従事していた人夫の轢傷について過失となるか、に関し、「大正十四年五月一日鉄道省達運輸取扱心得第百七十一条ニ、通過信号機ヲ附設セザル二位式信号機ノ設ケアル停車場ニ於テ列車ヲ通過セシムル場合出発信号機ノ設ナキカ又ハ其ノ設アルモ見透シ難キトキハ列車ヨリ見易キ位置ニ於テ進行信号ヲ現示スベシ、ト規定スル事情ヨリ見ルトキハ、右ノ如キ場合ニアリテハ、駅長又ハ其ノ代理者ニ於テ停車場構内ニ事故ナキヤ又ハ事故ヲ発生スベキ危険ナキヤ否ヲ看視シ、列車通過スルモ何等危険ナキヲ確メタル上、進行信号ヲ為シ列車ヲ通過セシムベキモノニシテ、殊ニ強風等ノ如キ場合ニハ、簡易駅ナルト否トヲ問ハズ、停車場構内ニ労役スル者等ニ於テ列車ノ通過ヲ前知スルコトヲ得ザルガ如キコトナキヲ保シ難キヲ以テ、業務ノ性質上一層厳密ナル注意ヲ以テ構内ヲ看視シ事故ノ発生ヲ防止スベキ責務アルモノト解スルヲ妥当ナリトス。」(大判昭四・七・二六新聞三〇八四・一三、評論一九民三三)

【38】駅長が列車の乗降口から続々下車する旅客があるのを看過して発車信号した場合に関し、「筑波鉄道ニ於テハ、列車ガ停車場ニ停車シタル時ハ、駅長ハ乗降客ナキコトヲ見定メタル上後部車掌ニ対シ発車信号ヲ為シ、後部車掌モ亦乗降客ナキコトヲ確認シタル上更ニ機関手ニ対シ発車信号ヲ為シ、機関手ハ該信号ニ依リ列車ヲ発車セシムルモノニシテ、駅長及後部車掌ヨリ右信号ヲ為サザル内ハ列車ハ発車スルコト能ハザルヤ

ウ定メアルコト疑ナキガ故ニ、駅長及後部車掌ハ其職責上列車ノ発車ニ際シテハ深甚ノ注意ヲ以テ乗降客ノ有無ヲ確カムベキモノニシテ、少クトモ列車ノ各乗降口ヲ一応見廻スベキ義務アルコト多言ヲ要セザル所ナリ。」（東京控判昭四・一二・二三新聞三〇七六・一三、評論一九民二四二）

（ロ）　車掌の場合

(a)　一般の場合

（i）　乗降客の有無の確認

【39】　乗降口に多数の乗客が乗車しようとして集まっているのを看過して、発車合図した場合に関し、乗客の墜落による傷害死につき過失を認めるもの。「凡ソ一定ノ業務ニ従事スル者ハ其ノ業務ノ性質ニ照シ危害ヲ防止スルニ必要ナル一切ノ注意ヲ為スノ義務ヲ有スルハ論ナキ所ニシテ、電車ノ後部車掌トシテ乗務シ之ガ発車合図ヲ為スベキ職務ニ従事スル者ハ、其ノ合図ヲ為スニ際シ、乗降口ノ整理完了シ電車ヲ発車セシムルモ何等ノ危険ナキヲ確認シタル後、運転手ニ発車ヲ促スベキ義務アルコトハ、業務ノ性質上当然ナルガ故ニ、乗客ガ乗降口ニ群リ将ニ乗車セントスル姿勢ヲ執ル者アルガ如キ場合ニ於テ危険ノ発生ヲ防止スル為ニハ、単ニ警笛ヲ吹鳴スルノミヲ以テ足レリトセズ、臨機適切ナル処置ヲ講ジ、其ノ者ガ安全ノ位置ニ避クル等事故ヲ惹起スルノ虞ナキヲ確認スル迄ハ、発車合図ヲ為スベカラザルノ職務上ノ注意義務アルモノト謂フベク、電車ガ満員ニシテ乗客収容ノ余地アルト否トニヨリ結論ヲ異ニスベキ理ナク、之ガ為ニ発車ノ遅延ヲ来スコトアルモ已ムヲ得ザル所ナリトス。」（大刑判昭二・六・二五刑集六・二三五）

（ii）　とびらの開閉の確認　　車掌は、乗降客のないことを確かめるだけでなく、とびらが完全に閉じたことをも確かめる義務がある。したがって、満員電車の引戸が完全に締まらないまま電車を進行させ、乗客が墜落負傷したのは、車掌の過失であり（東京地判昭四・一〇・三一新聞三〇四六・四、評論一九民一一八）、車掌が電車のとびら（手動式）の開閉状態を確かめることなく、乗換（四両目から三両目への）のため乗車口に接近する乗客に気づかないで、発車の信号をするのも、乗客の墜落負傷につき過失がある（大判昭一七・七・三新聞四七八五・一一）。

(b)　車掌が駅長等の合図に従って発車信号した場合　車掌は、列車が停車場にあるときは、駅長の指示を受けて事務を執行しなくてはならないが、その標識確認の義務は独立のもので、たとい駅長の指示に従つたときでも、責を免れない。

【40】「鉄道係員職制ニ依レバ、鉄道車掌ハ運輸長ノ指揮ヲ受ケ列車ノ運転及ビ輸送ノ事務ニ従事スベキ任務ヲ有スルモノナレバ、列車ノ運転ニ付テハ常ニ至大ノ注意ヲ用ヒ旅客荷物ヲ安全ニ輸送スルノ職責ヲ有スルモノト謂ハザルベカラズ。従テ列車進行中絶エズ前方ヲ警戒スベキハ勿論、其進行ヲ始ムル前ト雖モ、運転ノ前途支障ナキヤ否ヤ特ニ各種規定ノ標識ヲ確認シ危害ヲ未然ニ防止スルノ注意ヲ怠ル可ラザルハ、寧ロ業務上当然ノ職責ナリト謂ハザル可ラズ。勿論車掌ハ列車ガ停車場ニ在ルトキハ駅長ノ指示ヲ受ケテ其事務ヲ執行スベキモノナレバ、当務駅長助役ノ発車合図アルトキハ之ニ従テ発車ノ信号ヲ為スベシト雖モ、這ハ唯駅長助役ノ発車合図アルニ非ザレバ自ラ発車ノ信号ヲ為シ得ザルニ過ギズシテ、是等ノ者ノ発車合図ニ因リ自己当然ノ職責ニ属スル標識確認ノ義務ヲ免ルベキモノニ非ズ。然レバ車掌ハ通過安全ノ標識ヲ確認スルニ非ザレバ、仮令駅長助役ノ発車合図アル場合ト雖モ発車ノ信号ヲ為スコトヲ得ザルノミナラズ、危険標識ヲ発見シタルトキハ、駅長助役ノ発車合図ニ拘ラズ発車ノ信号ヲ為ス可ラザルハ勿論、既ニ発車スルモ列車ノ進行ヲ停止スベキ応急手段ヲ採ラザル可ラズ。故ニ車掌ガ偶々其標識ヲ認識セザリシトキト雖モ、之ヲ認識セザルコトガ其周到ナル注意ヲ欠キタルニ原因スルトキハ、自ラ其過失ノ責ニ任ゼザル可ラザルナリ。」（大刑判大三・五・二三刑録二〇・一〇一一――同趣旨大判昭一七・七・三新聞四七八五・一一、評論三一民三一三）

(c) 逆行応諾の合図に関する場合　汽車・電車が通常停車すべき地点を過ぎて停車したため、電車を逆行させる場合には、

【41】「須ラク其車掌タル者ハ、其乗客ガ下車シタルヤ否ヤニ注意シ、後部車掌台（逆行前部）ニ於テ逆行進路ヲ注視シ、線路横断者ノ有無等逆行ニヨッテ危険ノ生ズベキ虞ナキコトヲ確メタル上、運転手ニ対シ逆行ノ合図ヲ為スベキ」である（名古屋地判昭五・七・三〇新聞三二八一・八、評論一九民一三三七）——したがって、乗客が停車場を過ぎてから下車を申出たため一たん停車し、さらに停車場に向って逆行した際、その乗客が一たん停車の際に下車し逆行進路の前方を横断しているのに、気づかず、車掌が逆行の合図をしたのは、衝突による死亡につき過失がある。

この逆行の際の注視義務は、プラットホームと反対の側にも及び、「実行ノ難易ヲ問フベキモノニ非ズ」とされる。したがって、プラットホームの反対側から電車の逆行進路に入る者に気づかないのも、過失となるのである【42】。

【42】「原院ハ、車掌ニシテ車内車掌台ニ在ルニ於テハ少クトモ他人ヲシテ電車逆行ノ進路ニ立入ラシメザル様反対側面ヲ監視シ得ベク、決シテ展望不能ニ非ズト認メタルコト、判文上明白ニシテ、電車ハ昇降台ノ一方即停留場ノ『プラットフヲーム』ニ接スベキ反対側面ヲ常ニ閉鎖シアルヲ以テ、此ノ側面ヨリスル展望殆不可能ナリトノ所論事実ハ原判決ノ認メザル所ナレバ、之ヲ以テ原判決ヲ攻撃スル論旨前段ハ理由ナシ。又電車運転ノ如キ人ニ危害ヲ及ボス虞アル事業ニ従事スル者ハ、危険ヲ避クルニ相当ナル注意ヲ用ヒ、若危険アリト認メタルトルハ之ヲ避クルニ適当ナル措置ヲ採ルコトヲ必要トシ、其ノ実行ノ難易ヲ問フベキモノニ非ズ。左レバ所論ノ如ク仮令其ノ他ニ車掌ノ行フベキ事務繁多ナリトスルモ、之ガ為ニ同人ニ右危険ヲ防止スベキ職責ナシト云フヲ得ズ。」（大判大一一・一〇・七新聞二〇五六・一九、評論一一民一〇七五）

(2) 乗客の飛び乗りの場合　乗客の飛び乗りによる負傷や死亡については、職員は過失がないも

のとされる。たとえば、乗客が停留場外で電車に飛び乗りをこころみた際、車掌は車内にいてこれを知らず、乗客が引きずられるのを発見して引き上げようとしたが及ばず、転倒した場合（東京控判大一一・六・二七新聞二〇四九・二〇）、乗客が満員電車の発車進行中飛び乗り、車掌は急停車の処置をとつたのに墜落死亡した場合（東京地判昭三・一二・一七新聞二九三六・四）、進行し始めた列車に乗ろうとして走り出した乗客に、ホームにいた助役が手旗を振つて大声で制止したのを、乗客は早く乗るのを促しているものと解釈して飛び乗り、負傷した場合（大阪高判昭三〇・五・三〇下級民集六・五・一〇四一）、いずれも過失がないとされている。

(3)　とびらの故障に関する場合　電車のとびらの自動開閉器が故障して手動式で開閉していた場合に、従業員がとびらの完全に閉つたのを確認して発車した以上、何人か（たとえば集団買出人）が故意にとびらを開いたために乗客が転落したとしても、従業員の過失ではない（大阪地判昭二五・八・七下級民集一・八・一二〇二）。これに反し、車掌が電車のとびらの自動開閉装置の故障を知りながら故障のあるとびらのみ開放したまま発車合図し、乗客が、電車の動き出すとたんに、そのとびらのところへ左手で電車につかまり片足をかけて乗ろうとして、転落した場合には、右車掌および当時その駅に勤務していながらホームに出ていなかつた三名の駅員は、過失があるとされている（東京高判昭二六・九・一二下級民集二・九・一〇七六）。

五　踏切番

(1)　踏切番の注意義務一般　踏切番は踏切を看視して「列車通過ノ際ハ特ニ其職務上周到ナル注意ヲ払ヒ、交通ヲ遮断シ以テ列車ノ通過ニ障碍ナカラシムルト同時ニ通行人ノ生命身体等ニ対シ危害ヲ醸スコトヲ予防スベキ義務」がある（大刑判大一〇・一・一七刑録二七・一――同趣旨大刑判大一〇・九・五刑録二七・五八五）。

その任務は重大だから、一時的支障の場合でも【43】、担当時間終了後でも【44】、誰かが任務に就いているようにしなければならない。

【43】「一時止ムコトヲ得ザル支障ニ因リ自ラ直接其任務ニ当リ難キ場合ニ在テハ、須ラク相当ナル時機ニ於テ適当ナル代人ヲ立テ代行セシメ、以テ完全ニ其義務ヲ果サザル可カラ」ず。（大刑判大一〇・九・五刑録二七・五八五）

【44】「担当時間ヲ終リタル時ト雖モ引続キ猶ホ之ガ看守ヲ要スル場合ニ於テハ、現実ニ其交替者ノ来着スル迄ハ同踏切ヲ離レズ看守スベキ」であって、就寝中の交替者を起さず踏切を離れてしまうのは、その間に生じた事故につき過失がある。（東京控判昭五・六・七新聞三一六四・六、評論一九民一一七六）

また、踏切に配置された二人の番人は、たがいに緊密に連絡して事故発生を未然に防止しなくてはならない【45】。

【45】「踏切看守として配置された者は細心の注意を払って危険の発生を未然に防止すべきで、二名の看守がこれに当るときは、互に緊密な連絡を取ってそうしなければならない。すなわち一名の番舎内にあって遮断機操縦の任務を有する者は、番舎外で後記任務に従事する他の一名と連絡を取りつつ、常に上下の電車の進行の有無、進行状態に注意し、一方の電車が踏切を通過したとしても、直ちに遮断機を上げず、他方から接近する電車があるかどうか通行人が踏切に入っても安全にこれを横断し得るかどうかを確める義務を有し、そうするまでは踏切を依然遮断状態に置く義務があるものというべきであり、又一名の番舎外にあって通行人の交通整理及び電車に対する信号の任務に従事する者は、番舎内で前記任務に従事する他の一名と連絡を取りつつ、通行人の動静、遮断機の状態、電車の進行通過に留意し、電車運転手に対しては踏切通過の危険の有無を信号し、通行人に対しては一方の電車が通過後に通過する他方の電車のあることを警告し以て踏切の通過通行の安全を図る義務があるものというべきである。」（大阪高判昭二七・九・一五下級民集三・九・一二三二）――電車軌道の踏切を上り電車が過ぎ去ろう

としたとき、踏切看守の一人は下り電車が迫つて来るのを認めて白旗を振つたが、待避中の通行人に警告しないまま番舎内に入る態勢をとり、もう一人の看守は番舎内にいて下り電車の近接に気づかず、遮断棒を上げたために、待避中の通行人が踏切内に足をふみ入れ、下り電車のために死傷した事件で、二人の踏切番の共同過失を認めている。

(2)　遮断機に関する場合

（イ）　遮断機の開閉に関する場合

(a)　遮断機の閉鎖　踏切番は電車の来進を知れば「踏切通過前ニ完全ニ遮断機ヲ降下」すべきであり（東控判昭一四・三・二三新聞四四三八・九）、踏切直前に迫つてようやく遮断機を降下しようとしたため、自動車が線路上に進行して電車と衝突したのは、——自動車がわの過失はむろんあるが——踏切番の過失であり（同判決）、また、電車が少し遅れたというので、一たん閉じた遮断機をふたたび開き、電車の通過を待つ間、踏切にさしかかる車馬の往来に留意しなかつたため、遮断機を下す真際に自動車が踏切内に進入して、電車と衝突したのも、踏切番の過失である（東京地判昭五・九・二〇評論二〇民一六一）。

踏切に設備した閉塞木は、汽車通過の際には、たとい通行者がない場合でも下して、踏切を閉塞しなくてはならない（東京控判大四・四・三〇新聞一〇二三・二一）。

(b)　遮断機の開放

【46】「踏切番トシテ踏切ヲ看守スル者ハ、絶ヘズ電車ノ通過ト人車馬等ノ往来ニ注意ヲ払ヒ、電車ノ通過ニ際シテハ速カニ遮断機ヲ閉鎖シ人車馬ノ通行ヲ阻止シ、一ツノ電車ノ通過後ト雖モ他ノ電車殊ニ反対方面行

キノ電車ノ来ルモノアルヤ否ヤニ付深甚ノ注意ヲ為シ、安全ニ人車馬ノ通行シ得ルコトヲ確カメタル上ニアラザレバ踏切ヲ開放スルコトナク、以テ災害ノ発生ヲ防止スベキ義務ヲ負フモノナルハ勿論ナルニ拘ラズ、前段認定ノ如ク、上リ電車ガ通過シ終リテ後僅カ七八秒ノ短時間ニ下リ電車ノ来ルモノアルヲ看過シテ控訴人ガ遮断機ヲ上ゲテ踏切ヲ開放スルガ如キハ、仮令直ニ遮断機ノ下降ニ務メタリト雖モ控訴人ガ其業務上ノ注意ヲ怠リタルモノナリトノ非難ヲ免ルルコト能ハ」ず。（東京控判昭九・一二・七新聞三六九五・九、評論二三民二〇二）

（ロ）　遮断機内への乱入防止に関する場合　　踏切番は、開閉器を閉鎖するだけでなく、これを越えたりくぐったりする者のないことを確かめた後でないと、安全信号を行ってはならない。

【47】「本件踏切番人ハ、踏切ニ於テ通行人ノ危険ヲ警戒シ電車ニ進行ノ可否ヲ信号スルコトヲ其職務トスルモノナレバ、上告人主張ノ如ク単ニ通行人ニ対シ電車通行ノ為メ踏切ヲ通過スルコトノ危険ナルコトヲ覚知セシムルノミニテ其義務ヲ尽クシタルモノト謂フベカラズ。踏切番人ハ啻ニ踏切ニ於ケル開閉器ヲ閉鎖シ之ニ依リ通行人ニ対シ踏切ヲ通過スルノ危険ナルヲ警告スルノミナラズ（時ニ本件被害者ハ当時六歳ノ小児ニ過ギズ）、尚ホ其開閉器ヲ踰ヘ若クハ潜リテ危険ヲ侵サントスルモノナキヤヲ注意シ、其危険ヲ侵スモノナキコトヲ確メタル後ニアラザレバ電車ニ対シ安全信号ヲ為スコトヲ得ザルヤ明カナリ。」（大判大七・五・二三民録二四・九九九）――したがって、子供（六歳）が開閉器の下をくぐって線路内に入って電車にふれたのは、踏切番の過失である。

（ハ）　遮断機に故障のある場合　　開閉機に故障を生じ、下すことができなかったので、踏切番がしきりに通行人に対し汽車の近寄った旨を警告し踏切の通過を制止したのに、あえて通過して事故を生じたときは、番人に過失のないのは（東京控判大六・九・一八評論六民八九六）、当然である。

(3)　踏切における信号に関する場合

（イ）　通行人車への信号　踏切番は「列車ノ通過ニ障碍ナカラシムル」任務と「通行人ノ生命身体等ニ対シ危害ヲ醸スコトヲ予防スベキ」義務とを有するのに対応して、踏切における信号手は、汽車・電車に対する信号のほか、通行人車に対しても危険を警戒すべきである【48】。

【48】「踏切ニ於ケル電車ノ信号手ハ、一面ニ於テ電車ニ対シ進行ノ可否ヲ合図スルコトヲソノ職責トスルモノナルハ云フ迄モナシト雖モ、之レト同時ニ他ノ一面ニ於テ、電車通過ノ際通行人其他車馬ノ来往ニ注意シ是等ノモノニ対シテモ危害ヲ被ラシメザル様注意スベキ職責アルモノト認メザルベカラズ。」（東京控判大三・七・九新聞九六五・二三、評論三民三九）

したがつて、道路を踏切に向つて来る自動車と下り電車とは近接するまでたがいに望見することができないが踏切に立てば双方を透視することができる場合に、踏切の信号手が電車にだけ信号して自動車に信号しないために衝突したのは、信号手の過失である（東京控判大九・七・一六評論九民七四七）。そして、通行自動車を警戒するのに、青色燈を急激に振るのは、進行停止の方法としては不適当であり、通行自動車が進行して差支ないものと信じて踏切を通過しようとし、衝突した場合には、信号手の過失となる（東京控判大三・七・九【48】）。

（ロ）　汽車・電車への信号

【49】　開閉機を下したのに通行人がすでに踏切内にさしかかり、しかも通行人から電車の来るのを望見しえない状態にある場合は、踏切番は、「宜シク危険信号ヲ標示シ電車ノ停止ヲ計ルベ」きであり、白旗を出して通過安全の信号をしたために、電車が進行して通行人を死に至らせたのは、踏切番の過失である（東京地判大三・一〇・三新聞九七八・一七）。

(4) 警鈴または遮断機の設備のない場合　警鈴または遮断機の設備のない踏切の番人は、踏切の背後から線路に接近する者があるかどうかを監視する注意義務があり、踏切番が通過電車に向つて安全信号をしている背後から子供が軌道を横断しようとするのに気付かなかつたのは、その轢死につき過失がある。

【50】「電車ノ踏切番人トシテ其ノ職務ニ従事スル者ハ、須ラク業務上必要ナル注意ヲ払ヒ電車ノ進行ヨリ生ズル危害ヲ防止スルニ付キ其ノ過失ナキヲ期スベキハ当然ナルガ故ニ、警鈴又ハ遮断機ノ設備ナキ踏切ニ於テハ、其ノ番人タルモノハ単ニ進行ノ電車ニ関シ信号スルノミヲ以テ足レリトセズ、其ノ踏切ノ周囲殊ニ其ノ背後ヨリ電車線路ニ向ツテ接近シ来ルモノアルヤ否ヤヲ監視シ、以テ事故ヲ未然ニ防止スベキ為ニ注意ヲ怠ルベカラザル責任アルモノト謂ハザルベカラズ。」(神戸地判昭四・四・一九新聞三一三一・一三、評論一九民八九九)

三　工場企業の場合

一　企業者の場合

(1) 機械等の設備の不備によつて死傷の事故を生じた場合　工場経営者の機械等の設備に関する注意義務について一般的に説くものとしては、

【51】「苟モ職工ヲ使役シテ工場ヲ経営スル者ハ、其工場ニ設備サルベキ機械等ノ諸設備ニ人命ニ関スル危険ヲ惹起スル虞アルガ如キモノ存スルトキハ、可能ナル範囲ニ於テハ之ガ防止ノ為メ万全ノ施設ヲ為スベキハ当然ニシテ、該危険防止施設ノ欠如ニ起因シ人ノ身体生命ニ危害ヲ生ゼシメタルガ如キ場合ニハ、少クトモ過失ノ責ヲ負ザルベカラザルヤ勿論ナリ。」(名古屋地判昭四(ク)三六七新聞三〇八九・一〇、評論一九民五八〇)

この判決からもうかがえるように、工場に設置された危険な機械に危険防止施設のないことは、これを企業者の「過失」として捉えるのが判例の態度であり、この判決の事件と同じように、工場に据えつけられたシャフトに捲き込まれて職工が死亡した事案において、大判大正一・一二・六（民録一八・一〇二二）は、工場に据えつけられた機械は「土地ノ工作物」でないとして七一七条の適用を否定しているのである。しかし、七一七条の「工作物」の観念を決めるのに、土地に接着しているかどうかを問題とするのは不当である。工場内の機械をも土地を基礎とする企業設備に含ませ、そして、不完全な機械や機械の危険防止設備の欠如による事故については、七一七条の工作物の責任を認めるべきである（近時の学説の傾向といえよう）。判例は、上に述べたように、七一七条を適用するものではない。だが、そのような事故に際しては、つねに企業者の過失を認定していて、実際上は、七一七条を適用するのと同じ結果になつている。

まず、企業内部で起つた事故に関するものとして、職工が足をすべらし伸線機で足を負傷した場合に関し、その伸線機は多量の種油を使用し、そのため足をすべらして、急速に回転する歯車に触れる危険があるのだから、経営者が危険防止のために歯車の前面に蓋囲を設けなかつたのは、過失だとするもの（安濃津地判大一〇・八・一三新聞一九一八・一七、評論一〇民一一八八）、織物工場の工場主が織機の梭《ひ》の飛出防止装置等適当な予防方法をしなかつたために、女工が失明したのは、工場主の過失だとするもの（大阪地判大一一(ワ)三七新聞二二三三・七）また、ゴム毬磨職工が調帯がはずれたのを、動力を停止しないで滑車に掛けようとして、腕を切断された事件で、工場主は「其調帯並ニ之ニ連絡スル動力又ハ諸機械等ニ対シ厳重ナル検査ヲ行ヒ、若シ調帯其他ニ不完全ナル個所アル時ハ、速カニ之ヲ取換ヘ又ハ完全ニ修繕ヲ施シ、苟モ工場内ニ作業スル職工ニ災害ヲ及スガ如キ恐レナカラシムル様、細心ノ注意ヲ用フベキ」ことを判示するもの（東京地判大一五・五・一五評論一六民二〇八）などがある。

危険防止の義務は、単に職工に対する内部関係において要求されるばかりでなく、外部に対しても要求される。道路との間に囲墻を設けないで製材業を営む者は、少年が好奇心で道路から工場内に入り、回転中の調帯が切れたために、負傷死亡した場合に、過失があるものとされるのである（宇和島区判昭九・七九新報三三七〇・二六）。

これらの判例から受ける印象としては、企業者は事故の発生を防止するために可能と考えられるすべての手段をとらないかぎり、過失を認められているように感ぜられる。危険な機械の設置と管理については、極度の注意義務が要求され、それが少しでも怠られると過失とされる――この意味で最軽過失（culpa levissima）も不法行為の要件を充たす過失と認められている、ということができるであろう。そこでは、七一七条の『設置・保存の瑕疵』となんら区別のないまでに、過失観念が昇華を遂げているのである。

(2)　イムミッショーネン（Immissionen）その他によつて損害を与えた場合

（イ）　有毒ガスを発散する場合　工場から排出される有毒ガスによる被害について、企業者の過失を問題とするものとしては、まず、製錬工場の煙突から出る亜硫酸ガスおよび硫酸ガスが付近の農作物に害を与えた事件がある。原審は、

【52】「亜硫酸ヲ製造シ銅ヲ製錬スル等化学工業ニ従事スル会社ニ在リテハ、其代理人タル取締役等ガ、其製造シタル亜硫酸並硫酸ガスガ現ニ其設備ヨリ遁逃スルコトヲ知ラザル筈ナク、又遁逃シタル是等ノ瓦斯ガ附近ノ農作物其他人畜ニ害ヲ及スベキコトヲ知ラザル筈モナク、若シ之ヲ知ラザリトセバ之レ其作業ヨリ生ズル結果ニ対スル調査研究ヲ不当ニ怠リタルモノニシテ之ヲ知ラザルニ付過失アルモノト認ムルヲ相当トス。」（大阪控判明四三(ネ)五〇四新聞一〇四七(大正四・一一・一〇)・二五）

と判示して、会社の責任を認めたが、その上告審判決は次のように判示して破毀差戻をした。

【53】「化学工業ニ従事スル会社其他ノ者ガ其目的タル事業ニ因リテ生ズルコトアルベキ損害ヲ予防スルガ為メ右事業ノ性質ニ従ヒ相当ナル設備ヲ施シタル以上ハ、偶々他人ニ損害ヲ被ラシメタルモ之ヲ以テ不法行為者トシテ其損害賠償ノ責ニ任ゼシムルコトヲ得ザルモノトス。何トナレバ斯ル場合ニ在リテハ右工業ニ従事スル者ニ民法第七〇九条ニ所謂故意又ハ過失アリト云フコトヲ得ザレバナリ。」（大判大五・一二・二二民録二二・二四七四）

しかし、差戻を受けた原審は、取締役等が有害ガスの噴出およびそのガスが付近の農作物に有害なことを知らないはずはないと、原判示をくりかえしたのち、古い工場設備を改造し、焚鉱炉中換気装置のないものについてはこれを設備し、またわずか百尺ないし二百尺の煙突を使わずに、他の製錬所のように四百尺ないし五百尺の高い煙突を使用すれば、ガスの稲麦に対する害毒を防止しえた（【54】）ことを理由に、やはり会社の過失を認めた。

【54】「本件当時ニ於ケル智識ヲ以テスルモ、遁逃瓦斯ヲ高ク大気中ニ放散セシムルニ適当ナル高サヲ有スル煙筒ヲ設備スルニ於テハ前記ノ如キ稲麦ニ対シ有害ナル作用ヲ及ボス事ヲ防止シ得、且前掲説示ノ例ニ徴セバ右ノ如キ設備ヲ為ス事ハ経済上ニ於テモ左迄困難ナラザルニ不拘、控訴会社ノ取締役等ハ僅ニ百尺乃至百弐

拾尺（此ノ高サハ控訴人ノ抗弁自体ニ徴シ明カナリ）ノ煙筒ニヨリ有毒瓦斯ヲ遁逃セシメタルモノナルガ故ニ、控訴会社ノ取締役等ガ亜硫酸瓦斯及硫酸瓦斯ノ噴出遁逃ヲ防止スルニ付其当時技術者ノ為シ得ル適当ノ方法ヲ尽シタリト云フヲ得ズ。若シ夫以上認定ノ如キ減少防止ノ方法ヲ講ゼザルニ不拘適当ノ方法ヲ尽シタリト信ジタリトセバ、其信ズルニ付過失アリト断定スルニ足ル。」（大阪控判大八・一二・二七新聞一六五九・一一、評論九民訴一四三）

右の一連の判決は、故意と違法性との関係についても問題を提供するが（この点については、鳩山「工業会社の営業行為に基く損害賠償請求権と不作為の請求権」民法研究四巻三〇八頁、「工業経営に基く損害の賠償責任」同二六六頁、我妻・前掲一〇五頁註二参照）、それは当面の問題ではない。過失の問題としては、上の大審院判決の立場は、機械等の設備の不備に関する判例の傾向から見ても、企業者に対して寛容に過ぎるうらみがあるようにおもわれる。工場から出るこの種の害毒も工場の設備（たとえば、焚鉱炉の換気装置や煙突）の不備によるものだから、機械等の危険防止設備の不完全な場合と同じように、そのこと自体に過失を認めるか（加藤・不法行為（法律学全集）九四頁）、七一七条の工作物責任を認めるべきである。その意味で、原審の勇敢な態度に敬意を表したい。

大阪控訴院は、人造肥料工場の硫酸製造部の煙突から出る亜硫酸ガス・弗化水素酸ガスが稲の減収を来したという類似の事件においても、【54】とほぼ同じような理論で会社の過失を認めている【55】。

【55】「被控訴人ガ前示ノ如ク稲ヲ植付ケアル田地ノ附近ニ於テ右有毒瓦斯ヲ発生セシムルガ如キ方法ニ依リ肥料及硫酸ノ製造ヲ為ス以上ハ、其遁竄ヲ防止スルニ足ル十分ノ設備ヲ為シ稲ヲ害スルコトナカラシムルハ其製造業ニ伴フ当然ノ義務ト云フ可ク、而モ……弗化水素酸瓦斯ハ硝石ヲ腐蝕スル作用ヲ為シ亜硫酸瓦斯ハ異臭ヲ放チ容易ニ其遁竄セルコトヲ知リ得ルノミナラズ、稲ヲ害セザル程度ニ於テ其遁竄ヲ防止スルハ不能ノコトニ非ズシテ、只之ニ必要ナル十分ノ設備ヲ為ストキハ時ニ営業上損害ヲ蒙ルコトアル可キ虞アリト云フニ過

ギザルコト明白ナルガ故ニ、被控訴人ガ右有害瓦斯ヲシテ遁竄セシメ控訴人ノ所有ニ属スル本訴ノ稲ニ害ヲ及ボサシメタル以上ハ何等特別ノ事情ノ存スルコトヲ認ムルニ足ル証拠ナキ本件ニ於テハ、被控訴人ハ其防止ヲ為スニ必要ナル注意ヲ払フコトヲ怠リ事茲ニ至ラシメタルモノト認ムルヲ相当トス。」（大阪控判大五・一〇・二四新聞二九三・二四）

高額の経費を要する予防設備は企業者が作らなくても、その過失とならないわけだが、この判決が――むろん右の原則のわくのなかではあるが――ともかく、企業者が営業上損害を被るおそれがあるからといつて過失の成立が妨げられないとしたことは、被害者の被つた損害の塡補を理想とする不法行為制度の精神にかなつた解決だといえよう。

（ロ）音響・振動を発散する場合　この場合についても、右【53】と同じ趣旨の大審院判決がある（もつとも、これは、地方公共団体の灌漑用ポンプによる振動に関するものである）。

事実はこうである。――広島市Yが耕地灌漑のため電力ポンプを据えつけ、隣の旅客業者Xに音響・振動を及ぼし、地盤を動かして亀裂を生じさせ、家屋を動揺させて戸障子・壁をいため、かわらを落下させ、また旅客数を減じさせた。原審は単純に、

【56】「右機械ノ運転ガ此ノ如キ結果ヲ生ズルコトハ通常予想シ得ベキコトナレバ、仮ニ之ヲ予想セズシテ侵害行為ヲ継続シタリトスルモ、少クトモ過失ニヨリ他人ノ権利ヲ侵害シタルモノ」（広島控判大七・一〇・一九新聞一四七九・二四）

と判示したので、Yは、上告して、損害予防のために相当の設備をしたか否かを判断すべきだと主張し、大審院はこれを容れて、次のように判示したのである。

【57】「或機械ノ据付及運転ニ因リテ生ズルコトアルベキ損害ヲ予防スルガ為メニ、右工事ノ性質ニ従ヒ最

善ノ方法ヲ尽シテ其設備ヲ為シタルニ拘ハラズ尚他人ノ財産ニ対シテ損害ヲ及シタル場合ハ、民法第七百九条ニ所謂故意又ハ過失アリト謂フコト能ハザルヲ以テ、不法行為者トシテ之ヲ賠償スルノ責任ナキコトハ、従来当院ノ判例トスル所ナリ（大正五年（オ）八一六号同年十二月二十二日判決＝本稿【53】）。本件喞筒機械ノ据付及運転ニ付テハ、上告人ハ、原審ニ於テ、他人ニ対スル被害ヲ予防スルガ為メニ最善ノ方法ヲ尽シ居ルヲ以テ仮令被上告人ニ損害ヲ及スコトアルモ上告人ニ於テ過失ノ責ニ任ズルモノニ非ズトノ抗弁ヲ提出シ、……之ヲ立証シタルコトハ、原審大正七年十月十日付口頭弁論調書ニ徴シテ明カナリ。故ニ原判決ニ於テ上告人ニ不法行為ノ責任アリト為スニハ、上告人ハ本件喞筒機ノ据付及運転ニ因リテ生ズルコトアルベキ損害ヲ予防スルガ為メニ最善ノ方法ヲ尽シタルヤ否ヤヲ審理判断セザルベカラ」ず。（大判大八・五・二四、新聞一五九〇・一六、評論八民九四七）

この事件でも、大審院はさきの煙害事件【53】と同じ理論を採用し、そして、差戻を受けた原審はやはり被告が損害予防について相当の注意をしなかったことを認めた。これらの点は【53】【54】とまったく符合する。

ただ、さきの事件の場合と異るのは、この原審判決に対してYがふたたび上告した際、大審院が七一七条を適用したことである。すなわち、Yの行為は行政処分だから、その救済は司法裁判所の権限に属しないと主張したのに対し、大審院は次のように判示した。

【58】「其ノ設備ニ対スル市ノ所有権又ハ占有権ハ……私人ガ土地ノ工作物ヲ所有シ又ハ占有スルト同様ノ地位ニ立ツモノナルコトハ曩ニ当院ガ市ノ水道施設ニ付判示シタル所ニシテ（大正七年（オ）一三五号大正七年六月二九日第三民事部判決）、従テY市ガ本件喞筒ノ設置ニ付相当ノ注意ヲ為スコトヲ怠リタルガ為其ノ使用ニ因リ他人ニ損害ヲ生ゼシメタル場合ニ在リテハ、私法ノ規定ニ従ヒ損害賠償ノ責任アルモノト云ハザルベカラズ。」（大判大一三・六・一九民集三・二九五（判民六三事件田中誠二））

これはYの過失を前提してはいる（七一七条の「占有者」の責任を問題としているからであろう）が、ともかく、七〇九条の適用から七一七条の適用に移行した点、注目すべく、この方向転換は工場の機械による振動や音響の場合にも敢行すべきである（一五一頁参照）。

二　仲間の職工による災害

職工が仲間の過失によって被害を受けたときは、加害者の使用者たる企業者が七一五条によっていわゆる使用者責任を負うことになる（大判大一〇・五・七民録二七・八八七、最判昭三二・四・三〇判時一一一・三〇一四）。この種の災害についても、判例（下級審だが）はいつも加害者の過失を肯定して企業者の賠償責任を認める傾向にある。これに属するものとしては、元沈没船のポンプを用いたピストンであることを知りながら、工場の職長が爆発の危険を防止する手段を講ずることなく、経験の浅い職工に強度の火力で急激に加熱させ、その結果爆発した場合（大阪控判大九・四・一九新聞一七〇二・一七、評論九民五〇一）、穿孔機を使用する職工が電流を通じたままそれを持ち運んだために、つまずいた際他の職工の衣類に巻きついた場合（大阪地判大一〇・五・三新聞一八七六・一九、評論一〇民八三一）、製綱機械の運転に故障を生じたのに、操縦者が他の所にいて経験の浅い補助者に注意しなかった場合（東京地判大一一・七・三評論一二民一二五）などがある。

四　土木工事等の場合

一　土木工事やこれに類する工事も危険性の多い仕事であるから、施工者には高度の注意義務が課せられ、したがって過失を認定される事例が多い。なかでも、過失を推定する判決が注目される。

二　過失を認めたもの

(1)　単純に過失を認めたものとしては、次のような諸例がある。

(イ)　地下鉄工事によつて地下水がかれ、湯屋の井戸が枯渇した場合（東京地判昭五・七・四新聞三一七二・九、評論一九民一三七七）。

(ロ)　地盤の崩壊しやすい所で掘下工事をするのに隣地の崩壊を防止するに足る適当な設備をしなかつたために、隣地の石垣が崩壊した場合（神戸地判大一三・一一・一五新聞二三七八・二二）、地質が軟弱で土壌が崩れやすく、しかも人の居住する家屋からわずかに一、二尺ほどの露路をへだてた場所に、鉄筋コンクリート建建物を建築するにあたり、基礎工事のため地掘をするときに、不完全な土留設備をしたため、土壌の崩壊した場合（東京地判昭五・四・一二三評論一九民九三一）、建固な建物の建築に際して土留工事を行うのに、木製矢板を使用しながら、板と板との間にすき間を生ぜしめたために、そのすき間から地下水が噴出し、隣家の敷地に沈下・亀裂を生じさせ、建物にも損傷を与えた場合（東京地判昭八・一〇・一一新聞三六二八・八）。

(ハ)　土木工事の現場監督者が、ミキサー回転開始時刻にならないのに、ただ「始めるぞ」と声をかけただけで回転させ、そのために、ミキサーの注油に従事していた者を負傷させた場合（長野地飯田支判昭一二・七・二〇新聞四一六九・一四）。

(ニ)　昼夜交通のひんぱんな個所で、電車軌道を横断して巾六尺深さ五尺の掘さく工事をしながら、夜間掘さく個所に充分に照光を与えず、通行自転車が落ちて死亡した場合（神戸地判昭二・五・二〇新聞二七三四・五、評論一六民一一八八）。

(2)　『重過失』を認めたものとして、軍艦復旧工事に従事する者が、フックの故障に気づかず、またワイヤーロープに対する安全率を超過する盤木を起重機で運搬しようとしたために、ワイヤーロープが切断し、下で働いていた者の上に盤木が墜落して即死させた事件がある（広島呉支判大一三・六・五新聞二二八二・一八、評論一三民七六九）。

(3)　過失の推定　　昭和一〇年の東京地判は、地下鉄工事による地下水の低下のため地上の建築物に損傷を生じた場合に関し、まず次のような理由で故意過失に関する挙証責任を転換し、加害者がわ（地下鉄会社と工事施工者）は自分らに故意過失のないことを証明しないかぎり、賠償責任を免れない旨を宣明し、加害者がわの無過失の立証をすべて排斥した。

【59】「地下鉄道用隧道掘鑿工事高層建築高架鉄道ノ基礎工事其他之ニ類スル大工事ニ依ル不法行為ニ在リテハ、工事ノ性質上他人ニ損害ヲ与フル危険性少カラズ、且損害防止ノ設備ニ瑕疵アルニ非ザレハ他人ニ損害ヲ与フルコト稀ニシテ、加フルニ加害者ノミ能ク工事ノ瑕疵其ノ他故意過失ヲ確知シ得ベク被害者ニ於テ之ガ証明ヲ為スコト極メテ困難ナルガ如キ諸事情存スルヲ通例トスルガ故ニ、斯ル場合ニ於テモ尚被害者ニ於テ加害者ノ故意過失ヲ証明セザルベカラザルモノトセバ著シク公平ノ観念ニ背馳スルモノト謂フベク、従テ此ノ如キ工事ニ基ク不法行為ニ於テハ、被害者ニ於テ其ノ蒙リタル損害ガ右ノ如キ特殊行為ニ基因スルモノナルコトヲ明カニシタル以上、加害者ハ却テ加害ニ付自己ニ故意過失ナキコトヲ証明セザル限リ損害賠償ノ責ヲ免ルルコトヲ得ザルモノト為スヲ相当トス。本件各工作物ノ損傷ガ本件地下鉄道用隧道掘鑿工事施工ニ因リ右工作物所在地ノ地下水ノ低下含有水量ノ減少之レニ基ク土壌ノ収縮地盤ノ低下ヲ惹起シタルニ原因スルモノナルコトハ前認定ノ如クニシテ、右事例ハ恰モ前示特殊ノ事実関係ニ当ルコト疑ナキヲ以テ、前示ノ趣旨ニ依リ加害者ハ右加害ニ付自己ニ故意過失ナカリシコトヲ証明セザル限リ損害賠償ノ責任ヲ免ルルコトヲ得ザルモノト為サザルベカラズ。」（東京地判昭一〇・一二・二七新聞三九四四・三、評論二五民七六）

もっとも、この判決は、「地下水ノ低下含有水量ノ減少ハ主トシテ被告等（地下鉄会社と工事施行者）ガ右工事施行ニ当リ土留ニ鉄矢板ヲ使用セザリシニ基因スル事実」を認め、地下鉄は、その「点ニ於テ地下水ノ低下含有水量減少防止ノ為当然用ユベキ注意ヲ欠キタル過失」があり、施行者は「斯ル不完全ナル設計ニ基ク工事ヲ其儘施行シタル点ニ於テ同様ノ過失」のある旨を付言しており、挙証責任の転換だけで被告らの過失を認定したものではない。また、この判決が述べているような挙証責任の転換は、真の意味の挙証責任の転換ではなく、過失の『一応の推定』にすぎないとも解される。しかし、過失の『一応の推定』とても、上述のように、挙証責任の分担に関するものであり（一〇四頁参照）、それに、この問題は別としても、上の判決は、被告に挙証責任を分担させるのに蓋然性のほか「公平」を加えており（いわゆる「公平の理想に基く過失の推定」である）、その趣旨においては、挙証責任の転換と異ならないといえよう。

三　過失を否定したもの

(1)　まず、結果回避の不能を理由として過失を否定する次の判決が注目される（これは鉱業に関するものだが、ことがらの性質上、土木工事に関するものとして取扱った）。これは、Xの土地について石炭鉱の試掘権を有する者が、石炭層の有無を調べるために試錐用鉄棒（ボーリング）を打ち込んだところ、地下六九〇尺ないし七〇〇尺の深いところで、その先端の約三間半の鉄錐が切断されて地中に埋没したので、種々の方法で、二カ月以上にわたり一万円以上を費して引きあげようと努力したが奏功せず、そのままになっているので、XからYの不法行為上の責任を問うものである。東京控判は、Yがあらゆる方法を試みたこと、かような深層の引揚作業は過去にも成功した例がないことを認め、次のように結論した。

【60】「本件『ボーリング』先端ノ引揚ハ物理的ニハ必ズシモ絶対不可能トハ極言シ得ザルベシト雖モ、之ヲ可能ナリトシテ其ノ結果ヲ要求スルコトハ社会通念上試錐実施者ニ対シ過当ノ努力ヲ強要スルモノニシテ、斯カル場合ニ於テハ右引揚ハ法律上不可能ナリト解セザルベカラズ。然ラバ試錐実施者タル被控訴会社ニ於テ本

件地下ニ埋没セル前示鉄錐棒ニ対シ敢テ特段ノ引揚措置ヲ講ゼズ之ヲ放置シテ今日ニ及ビタリトスルモ、右引揚ニシテ法律上不可能ト目サルベキモノナル以上、不可能ハ之ヲ他人ニ要求シ得ベキモノニ非ザルヲ以テ、被控訴会社ニ対シテハ右引揚ヲ実施セザルコトニ付故意若ハ過失ノ責アルコトナ」し。（東京高判昭一四・七・一二七評論三〇民三九二）

過失の基準となる注意義務が認められるためには、結果の予見のほか結果の回避が可能でなければならない。そして、結果回避の能・不能はいうまでもなく、法律的観念であるから、「物理的」標準によつてではなく、「社会通念」によらなければならないのである。右の判決が、試掘権者の過失を否定したのは、やむをえないであろう。

(2)　これに反し、建築中のビルディングで電工Xが二階で送電線の配管工事に従事中、真上の四階でコンクリート流し樋《とひ》の連結作業をしていた人夫Aが過つて流し樋《とひ》を落したために、Xが負傷した事件で、Aの過失（それに基づく建築元請人Y_1の使用者責任）は認めながら、Xの使用者でY_1の下請人たるY_2の過失を否定した東京控判昭和一二・三・三〇（新聞四一三二・九、評論二六民四二九）には、若干問題があろう。

この事件で、原告は、Y_1については、流し樋《とひ》連結作業をする前に、作業をしている下方に危険防止の金網等を張るべきだつたと主張し、またY_2については、Y_2の被用者たる現場監督者Bらに現場における災害を予防すべき責務があること、たといBらにその責務がないとしても、そのような責務を有する監督者を置くべきだつたと主張したが、どちらの点も否定されている。

たしかに、流し樋《とひ》の連結作業というような短時間の仕事のためにいちいち金網等を張ることを要求するのは——一般公衆に対する危険の存しないかぎり——無理であろう。だが、そのかわり人が工事をしている上方で流し樋《とひ》連結というような危険な作業を行う場合には、現場監督者がたがいに緊密な連絡をとつて下方の工事を一時中止させるようにすべきではなかろうか。その点でも、Y_1がわの過失が認められるべきである。次に、Y_1がわが注意義務を怠つて、配管工事請負人たるY_2の現場監督者Bらに連絡して来ないなら、Bらの方で進んで配管工事を中止させるべきだつたであろう。その意味でY_2がわの過失も認めるべきではなかろうか。この判決は「配管工事ハ遅レテコンクリート打工事ニ追ハレタル為、極力工事ヲ急ギツツアリタルモノナレバ、工事ヲ手控ヘシメ又ハ原告等ヲ現場ヨリ立去ラシムルガ如キコトハ事実上不可能ノ状態」にあつた、ともいつているが、危険をおかしてまで配管工事を急がねばならないとは、どのような緊急な必要であろうか。

五　鉱業の場合

一　鉱業は、企業内部でも危険性をもつが、外部に対しても、鉱毒・土地陥落による損害を与える可能性が多く、無過失責任がもつとも早く発達した分野である（フランスでは一八一〇年に認められた）。わがくにでも、鉱業が不可避的に損害発生の危険性をはらむことにかんがみ、昭和一四年無過失の鉱害賠償制度が設けられ（鉱業法七四条ノ二—七四条ノ一五）、戦後の鉱業法に承継された（鉱業法一〇九条—一一六条）。もつとも、それは、「鉱物の掘採のための土地の掘さく、坑水若しくは廃水の放流、捨石若しくは鉱さいのたい積又は鉱煙の排出によつて他人に損害を与えたとき」に限られ、この限られた無過失責任も企業内の労働者が被害者である場合には及ばない（鉱一〇九条）。

判例は炭坑などを工作物とみて七一七条の工作物責任を認めるか（落磐に関し大判昭一八・四・一五【66】、ガス爆発に関し大判昭一五・一・一八新聞四五二八・一二【69】）、企業者がわに高度の注意義務を要求して、企業者の過失責任を肯定することに、傾いているようにおもわれる。

二　対外的責任の場合

石炭採掘によつて牧場の敷地を相当程度陥没させ、建物に障害を与え、井戸を涸渇させた事件において、福岡地判は、行政上の取締規定や監督官庁許可の施業方法を守つたというだけでは、注意義務を尽くしたことにはならないとしている。

【61】「石炭採掘事業ニ於テハ殆ンド必然的ニ地表ノ土地陥落若ハ井水涸渇等ヲ随伴スルモノナルコト通常ノ事例ニ属スルヲ以テ、法律上鉱業者ハ斯ル損害防止ノ為ニ其ノ企業ニ特有ナル特段ノ注意を用フベキ義務アルヤ勿論ニシテ、彼ノ主トシテ鉱利若ハ公益ノ保持ヲ目的トスル行政上ノ取締規定或ハ監督官庁許可ノ施業方法ヲ遵奉シタルノ一事ニヨリ私法上ノ注意義務ヲ尽シタルモノト謂フヲ得ザルハ縷説ヲ要セズ。」（福岡地判昭一三・一〇・三一新聞四三四四・三、評論二七諸法七九〇）

近時の岐阜地判【62】も、鉱山保安のために必要なだけの炭壁・炭柱の厚みがなかつたために、炭鉱が落磐して地表の水田や家屋を破壊した場合に関し、経営者が落磐防止の措置を怠つた過失がある、としている。なお、傍論的ではあるが、坑道を「土地ノ工作物」（七一七条）としている点に注意すべきである。もつとも、この事件は、元来鉱業法による無過失責任の認められるべき場合なのではなかろうか。

【62】「結局本件落盤は被告主張の如く前主Aにおいてこれを濫掘したことが根本原因でありこれに坑内水の移動による自然力が作用して発生したものではなく前記認定の如く坑内水の移動及被告の鉱区保安対策上の不備に基くこと明らかであるといわねばならない。更に被告は、本件鉱区の所有者でも占有者でもなく、又廃虚同然たる本件坑道は土地の工作物ということが出来ないから、被告に責任の発生すべき余地はない旨主張するけれども、被告がその占有者たることは前段判示のとおりであり、又前記認定の如き本件坑道が土地の工作物たることは明らかである。仮りにこれが土地の工作物と云い得ないとしても、被告に前記の如き過失の存在することは前記判示のとおりであるから、被告はその経営者として民法第七百九条によりその責に任ずべきものなること明らかであるから被告の右主張もその理由がない。」（岐阜地判昭三〇・四・二五下級民集六・四・八三五）

三　対内的責任の場合

(1)　出水の場合　炭坑の坑道に断層があつて平素潤水量多く、事故発生の二、三時間前に相当多少の出水があり、直前でも戸樋水程度の出水があつて、ついに、出水のため採炭夫が死亡した。かような事件において、原審が経営者の過失を認めたのに対し、会社がわは上告して、次のように主張した。すなわち、炭坑の坑道では戸樋水程度の出水は常態である、会社ではそれらを誘導集積しポンプで坑外に排水しているが、それは科学的調査の結果業界で承認されたもので、注意に欠けるところはない、戸樋水程度の出水で危険区域として事業を休止したり危険除去に没頭すべきだとすれば、経営が成り立たない、と。大審院は、これをしりぞけ、収益の幾分を犠牲にしても、危険の除去に専心し、または一時作業を休止すべきだ、としている。

【63】「原審判決ノ認定シタルガ如キ危険ナル箇所ニ於テ坑夫ヲシテ作業ニ従事セシムル場合ニ於テハ、本

件ノ如キ災害ヲ予防スル為危険ノ除去ニ専心シ又ハ一時作業ヲ休止セシムルガ如キハ、鉱業経営者トシテ当然ノ務ニ属シ、之レガ為其収益ノ幾分ヲ犠牲ニ供セザルベカラズトスルモ亦已ムヲ得ザル所ナリ。鉱業ノ経営ヲ成リ立タシムル為ニハ坑夫ノ生命ニ対スル危険モ之ヲ顧慮スルノ要ナシト為スベキ理アルコトナシ。」（大判昭一三・一二・二三判決全集六・二・四）

危険防止設備に多額の経費を要し、そのために経営が成り立たなくなるというのであれば、危険防止の注意義務を要求することはできないわけだが、人間の生命に対する危険が予見されるかぎり、企業者には最高の科学的水準による危険防止設備が要求されねばならないであろう。判旨は、そこまで明言しているわけではないが、そのような方向を指向するものとして、注目されてよいとおもう。

(2)　落磐の場合

（イ）　一般の場合　鉱山業者の落磐防止義務については、次の二つの大審院判決が述べるように、坑道に落磐のおそれがあるかどうかを検査し、そのおそれがある場合には、支柱その他の危害防止設備を施すとか、作業中止等の応急措置を講じなくてはならない。

【64】「大正五年農商務省令第二十二号鉱業警察規則第十八条ニハ、落磐ノ虞アル場所ニ於テハ危険予防ノ為適当ナル支柱其ノ他ノ設備ヲ為スベシト規定シアリテ、鉱業ニ従事スル者ハ、坑道ニ於テ落磐ノ虞アル場合アルトキハ、単ニ口頭ヲ以テ危害予防ニ付其ノ使用人ニ対シ注意ヲ為スヲ以テ足レリトセズ、危害予防ニ適当ナル支柱其ノ他ノ設備ヲ為シ危険予防ノ方法ヲ講ズベキモノニシテ、之ヲ講ズルニアラザレバ業務ノ性質上此ノ種ノ危害予防ニ付相当ノ注意ヲ怠ラザリシモノト云フヲ得ザルヤ明ナリ。然ルニ原審ハ、被上告人ノ雇人鉱山ノ事業係Aガ上告人等ヲ使役シ本件墜落岩石除去ノ為之ガ破砕作用ヲ為シタル後其ノ附近ノ天井岩ニ墜落ノ

危険アル箇所ヲ発見シタルニ拘ラズ、単ニ其ノ危険ナル場所ヲ注意スベキ旨口頭ヲ以テ警告シ、上告人等ヲ残シ置キ現場ヲ立去リタル事実アルコトヲ認メナガラ、果シテ右天井岩ニ於ケル危険ノ場所ガ支柱其ノ他ノ設備ニ依リ其ノ危害ヲ予防シ得タリシヤ否ヲ審究セズ、単ニ本件坑道ハ狭隘ニシテ墜落岩石ノアリシ為框ヲ設置シテ天井岩ノ崩落ヲ防止スルコト不能ナリシ事実アルヲ以テ上告人ノ被リタル負傷ハ右Aノ過失ニ基因スルモノニアラズシテ、上告人ガ他ノ工夫ノ注意ヲモ顧ミズ本件ノ場所ニ突進シ来リタル為自ラ招キタルモノナリト判定シタルハ、鉱業ノ如キ事実ノ性質上必要ナル注意義務ヲ誤解シタルカ又ハ支柱其ノ他ノ方法ニ依ル設備ニ因リ危害ヲ防止シ得タリシヤ否ノ認定ヲ遺脱シタル不法アルモノニシテ、原判決ハ其ノ何レノ点ヨリスルモ到底破毀ヲ免レズ。」(大判昭二一・五・二七新聞二七〇九・一二、新報一一六・一一)

【65】「原判決ハ…上告人ノ保安係員兼発破係員Aハ仕繰夫タルB外一名ヲ使役シテ本件坑道内岩層ノ発破ヲ行ヒタルガ其ノ結果坑道天井ニ亀裂ヲ生ジタルニ拘ラズ、発破直後ニ於テハ爆煙未ダ消散セザル為右異状ヲ発見シ得ザリシママニ、充分ナル精査ヲ遂グルコトナク、B等ニ口頭ヲ以テ念ノ為約三十分休憩ノ後危険ノ有無ヲ調査ノ上作業ニ取掛ルベキ旨警戒シタルノミニテ、不安解除ヲ確認セザルニ先立チ現場ヲ立去リ附添監督ヲ中止シタルコトヲ認定シ、Aガ本件発破個所ノ如キ断層アリテ落盤ノ危険率高キ個所ニ於テ、右ノ如クB等ノ作業開始前異状ノ有無ニ付親シク検査ヲ遂ゲ具体的ニ危険防止ニ必要ナル処置ヲ執ラシメ事故ノ発生ヲ未然ニ防止スベキヲ怠リタルハ、保安係員トシテノ職責ヲ尽シタルモノト謂ヒ難ク、天井岩盤落下ノ為Bガ圧死ヲ遂グルニ至リタルハ、Aノ保安係員トシテノ為スベキ注意義務ヲ怠リタルニ因ルモノナリト断定シタルモノニシテ、右証拠ニ依レバ斯ル認定判断モ亦為シ得ザルニ非ズ。該上告人ガ其ノ事業ノ執行ニ付適用ヲ受クベキ鉱業警察規則第十三条第十四条ニ依レバ、採掘権者ハ坑内保安係員ヲ選任スルコトヲ要シ、坑内保安係員ハ坑内ノ保安ニ関スル事項ヲ掌リ、毎日坑夫ノ就業場所其他危険ノ虞アル場所ヲ巡視シ落盤其ノ他ノ危険ノ有無ヲ検査スベク、危険ノ虞アリト認ムルトキハ、遅滞ナク作業ノ中止通行ノ遮断其ノ他ノ応急処置ヲ為スベキ義務アルモ

ナルヲ以テ、保安係員タルＡガ前述ノ如キ挙ニ出デＢノ圧死ヲ見ルニ至リタルトキハ、固ヨリ其ノ注意義務ヲ怠リタルモノトシテ其ノ責ヲ免レザルハ当然」（大判昭一六・一〇・二九評論三一諸法二六二、判決全集九・五・五）

右の一般論は、さらにいくつかの判決によつて、次のように具体化されている。

(a) 落磐のおそれがある場合とは、具体的にはどのような場合であるか。この点に関しては、坑道切り拡げ作業と地床の地下げ作業を同時に行うときは岩石崩壊の危険があるとする長崎控判昭和一四・九・二（新聞四四七五・五評論二八民八八〇）と、断層があつて落磐の危険率の高い個所に発破をかけた直後、爆煙のまだ消散しないうちに保安係が現場を立ち去つた場合に、過失を認める前出【65】の大審院判決を、あげることができる。

(b) 落磐のおそれがある場合に危害予防を怠る例としては――

【66】「所論ノ本件炭坑内ノ落磐事故ノ発生シタル場所ハ、荷負又ハ支柱ヲ入ルルニ於テハ容易ニ落磐ヲ防止シ得ベカリシニ拘ラズ、該箇所ニ枠ノ設置ナク、支柱及荷負ハ設置シタルモ手抜ヲ為シ其ノ間隔広キニ失シタル事実、並ニ右事故発生当時ニ於ケル上告人ノ被用者タル保安係Ａガ坑内保安状態ニ関シ前任者ヨリ申開キヲ受ケズ、又自ラ坑内ニ到リテ危険ノ有無ヲ確ムルコトナク、坑内詰所ニ於テ漫然上告人等採炭夫ニ従業割当ヲ為シ作業現場ニ赴カシメタル所論摘録ノ原判示事実ヲ、認定スルニ難カラザルヲ以テ、本件事故ガ上告人ノ占有又ハ所有ニ係ル坑内工作物ノ瑕疵ト上告人ノ被用者ノ過失ニ基因スルモノナルコトヲ判定シ得ザルニアラズ。」（大判昭一八・四・一五法学一二・七八六）

【67】「鉱山保安のためには炭壁は十間炭柱は約一間四方を残して採掘する必要がある」のに、「炭柱は約三尺五寸程度しか残されておらず、又炭壁も不完全にしか残され居らず、而も若干の支柱がこれに設けられてい

たのみ」なのは、落盤につき過失がある。（岐阜地判昭三〇・四・二五下級民集六・四・八三五）【66】が坑内『工作物の瑕疵』（七一七条参照）による事故でもあることを認めていることに、注目すべきである。

(c)　もつとも、危険防止設備を施すべき義務が認められるには、それを尽くすことによつて危険を防止することが可能でなければならないわけである。前掲【64】の大審院判決は、具体的には、主として、この結果回避の可能性が問題となつた事件である。これは、原審が、坑道がせまく墜落岩石があつたため、落磐の危険ある個所にわくを設置することが不能だつたのだから、作業監督者に過失があつたとはいえない、としたのを破毀して、その場所が「支柱其ノ他ノ設備ニ依リ其ノ危害ヲ予防シ得タリシヤ否」を審究すべきだとするもので、鉱山業者の高度の注意義務を期待するものとして注目される。

（ロ）　坑道掘進先の場合　とくに坑道掘進先で各坑夫が支柱を施す必要のある場合には、支柱を準備し坑夫に相当の注意を与えれば足り、その坑夫が支柱を施さなかつたために落磐を生じても、鉱業者がわには過失がないとされる。

【68】「所論ノ鉱業警察規則第十八条第一項ニハ、落盤ノ虞アル場所ニ於テハ危険予防ノ為適当ナル支柱其ノ他ノ設備ヲ為スベシトアルモ、同条第二項ニハ採炭中支柱ヲ要スル石炭坑ニ於テハ支柱方法ヲ定メ坑夫ヲシテ之ヲ遵守セシムベシトアリテ、石炭坑ニ於テ掘進先ト他ノ箇所トハ同様ニ論スルヲ得ズ。各坑夫ノ掘進先ニ於テ支柱ヲ施スコトヲ要スル場合ニ付テハ、予メ支柱ヲ準備シ其ノ坑夫ニ相当ノ注意ヲ与ヘ坑夫ヲシテ自ラ右

ノ支柱ヲ施サシムルヲ以テ足リ、右ノ準備ヲ為シ且相当ノ注意ヲ与ヘタルニ拘ラズ、坑夫ガ其ノ支柱ヲ施サズシテ掘進シタル為、落磐ヲ来シ、之ニ因リテ負傷スルコトアルモ、使用者タル鉱業主ハ其ノ負傷ニ付過失ノ責ヲ負ハザルモノト解スルヲ妥当トス。」（大判昭三・二・一二新聞三〇〇〇・九）

(3)　ガス爆発の場合　炭坑内には可燃性のガスや採炭作業による炭塵の発生を見ることが少くなく、それらがたばこの火やランプの火で発火爆発するおそれがある。したがつて、保安係その他の責任者はそのような危険な状態の有無を検査し、危険のあるときはその予防措置を講じなくてはならない。

【69】 可燃性ガスが含有率百分の二を越え、ついにたばこの火で発火爆発した場合に関し、原判決を支持していわく、「原審ハ……技術管理者Aハ……瓦斯停滞ヲ認メタルヲ以テ即時危険ノ予防又ハ応急ノ処置ヲ講ズル為当然左斜又卸坑道ノ切拡ヲ行ヒ局部扇風機及風管ノ敷設ニ全力ヲ注ギ即日貫通作業ニ着手スベキニ拘ラズ、単ニ左斜又卸ヲ連卸ト左二目抜半トノ貫通及局部扇風機据付ノ準備ヲ為スベキ旨命ジタルノミニテ掘進ヲ続行シ、坑内保安係員BCハ右貫通及局部扇風機据付作業ヲ命ゼラレタルニ拘ラズ之ガ急速実施ヲ怠リタルノミナラズ……Cハ厳密ナル瓦斯検査ヲ為スベキニ拘ラズ……之ガ測定ヲ為サザリシコトヲ認定シ、以テ、上告人〔経営者〕ハ本件筑紫炭坑七尺坑内ニ於ケル通気装置等工作物ノ設置保存ニ瑕疵アリシコト明白ナルノミナラズ、被用者タル右ABCガ其ノ事業ノ執行ニ付前示ノ如キ過失アリタルニ因リテ本件瓦斯爆発ヲ惹起セシメ……タリト判断シタルコト、明ナリ。」（大判昭一五・一・一八新聞四五二八・一一、法学九・一〇三七）――本判決は、なお、七尺坑を七一七条の『工作物』とした上で、「左斜又卸ノ連卸ト左二目抜半トノ貫通ナク且左斜又卸ノ為特設ヲ要スル局部扇風機ノ据付ナキ状態ニ在ル右工作物」には『瑕疵』があるとした原審判決を、支持している。

【70】 軟弱な炭層でメタンガスの発生を見ることがあり、しかも乾燥した炭塵も発生し、両者が混合すると

非常に爆発しやすくなるような状態で採炭作業をしていたときに、カーバイトランプのはだか火がガス炭塵に引火爆発した事件。原審判決は、右のような採炭作業でカーバイトランプのはだか火を使用するには、とくに注意してガス炭塵の爆発を防止すべき業務上の注意義務があるとして、その過失を認めた。炭坑がわが上告して、かような注意義務を認めるのは不可能を強いるものだ、と主張したのに対して――「一般ニ炭坑保安係ガ採炭作業ニ付相当ノ知識経験ヲ有スル者ナルコトハ勿論ナルヲ以テ、保安係タル者ハ叙上ノ如キ状況ニ於ケル採炭作業ニ当リテハ当然事故発生ノ危険ヲ予想シ得タルモノト謂ヒ得ベキモノナルトコロ、本件ニ於テ保安係タルAハ右ノ如キ採炭作業ノ状況ヲ知悉シナガラ、災害予防ノ為メ炭塵ノ沈圧ニ適当ナル方法ヲ講ゼズ、又適時作業現場ヲ巡視セザリシモノナルヲ以テ、右ハ明カニ同人ノ職務上ノ注意義務ヲ懈怠シタルモノト云フベク、右ノ如キ注意義務ヲ認ムルハ不可能ヲ強フルモノニシテ本件爆発ハ偶然ノ事故ナリト主張スル所論ハ、之ヲ採容スルコトヲ得ズ。」(大判昭一八・三・一〇新聞四八三四・一一、法学一二・七八〇)

六　電気事業の場合

一　電流の供給を業とする者は、感電・漏電による人命・財産の被害を防止するために、細心の注意を施さなければならない。判例は、かような見地から電気事業者の過失を容易に認める傾向にあること、その注意義務が取締規定に限定されないこと【71】は、他の危険な企業の場合と同様である。ただ、これから述べるように、感電による死傷の場合と漏電による失火の場合とで取扱を異にする点が、注意されなければならない。

【71】「電線架設ノ如キ危険ノ工事ヲ施設スル者ハ、其危険予防ノ設備ニシテ欠クル所アランカ、之レガ為メニ損害ヲ蒙リタル者アル場合ニ於テ、其賠償ノ責ヲ免ル、コト能ハザルハ固ヨリ論ヲ俟タズ。抑上告会社ノ

施設果シテ電気事業取締規則ニ適合スルヤ否ヲ判定シテ其営業ヲ許否スルハ行政権ノ作用ニシテ司法権ノ干渉スベキ所ニアラザルコトハ必ズシモ言ヲ待タズシテ明ナリト雖モ、行政官庁ガ施設ノ当否ヲ判定スルハ唯其ノ施設ハ以テ営業ヲ聴許スルニ足ルヤ否ノ範囲ニ止リ、其聴許ノ一事ハ未ダ以テ上告会社ヲシテ損害賠償ノ責任ヲ免脱セシムルモノト云フヲ得ズ。」（大判明三二・一二・七民録五・一一・三二）

二　感電による死傷の場合

一般には七〇九条により過失の有無が問題とされるが、比較的近時の判例は、できるだけ七一七条の工作物の瑕疵による責任を認めようとしている。

(1)　過失の有無を問題とするもの　感電による死傷にかんして過失の有無を問題とする判決は、みな過失を肯定しているようである。たとえば、電気工事規程（明治四四逓信省令二六）に架設電線と造営物の上部との間隔は六尺以上でなければならないとあるのに背いて、電燈線が家屋の上方わずか三尺内外に垂れ下っていたため、子供がまりをとるため屋根に登って感電した事件【72】、二時間余も延焼した火災現場を目撃しながら、配電工の送電遮断が遅れたため、被害者が垂下した高圧電線にふれて即死した事件【73】、会社の散宿所から四町の地点に来れば火災現場の状況を確認できたのに、電気工手が送電遮断の時機を失したため会社の高圧線が火災によって溶断落下し、被害者を感電即死させた事件【74】、高圧線を架設した電柱の工事に際して、現場責任者が電線の電流の遮断されているかどうかを確認しなかったため、高圧線の両線を同時に両手で握った電工が感電つい落した事件（福岡高判昭二七・四・九下級民集三・四・四八二）などがある。刑事事件ではあるが、電気に関する知識経験のない人夫を使役して、変電設備の掃除作業をさせた監督者が、「これはよいが他はいかぬぞ」と一応の注意を与えただけで作業に就かせ、掃除箇所近くにあつた電位変成器の高圧電流にふれて感電死した事件【75】でも、過失が認められている。

【72】「電気業者ハ縦令電線架設ノ際屋上トノ間隔ガ六尺以上ヲ保テリトスルモ、爾後常ニ其間隔ヲ維持セルヤ否ヤ注意セザルベカラザルモノニシテ、若シ其後電線弛緩シテ六尺以下ニ下垂シ之ヲ修復セズシテ放置シタルコトガ其ノ懈怠ニ出デタルトキハ、屋上ニ登リ其電線ニ接触シ傷害ヲ被ムル者アルベキコトヲ予見シ得ベカリシモノト云フコトヲ得ベキヲ以テ、其被害者ニ対シテハ少クモ過失ニ因ル不法行為ノ責ニ任ゼザルベカラズ。」（大判大七・一〇・一八新聞一四九八・一七、評論七民一一一八）――第一審判決（長野地判大六・三・一三新聞一二五六・一五）は「重過失」を認定している。

【73】「出火ノ後殆ンド二時間余道路両側ノ人家ニ延焼シタル程ノ火災ノ現場ヲ目撃セバ、高圧電流ニ智識ヲ有スル配電工トシテハ、高圧線各電柱ノ焼燬ニ起因スル人畜ノ被害生ズルノ虞アルコトハ、容易ニ想到シ得タルモノト做スベク、所謂電気事業法施行規則ハ寧ロ斯ル危険ノ生ズル虞アル場合ニ送電ノ遮断ヲ命ゼルモノト解スルヲ相当トスベシ。」（大判昭六・一一・二〇新聞三三四五・一二、評論二一諸六六）

【74】「所論電気事業法施行規則第十七条及第七十一条ニ依レバ、電気事業者ハ漫リニ送電ヲ遮断スベキモノニ非ザルコト勿論ナルモ、火災等非常ノ際危険発生ノ虞アルトキハ未然ニ之ヲ防止スル為メ送電ヲ遮断シ其ノ他臨機適当ノ措置ヲ執ルベキ義務アルヤ明白ニシテ、所論ノ如ク電気事業者ハ送電ニ因ル危険ノ発生ガ必然若クハ確実ナル場合ニノミ限リ送電ヲ遮断スベキ義務アルニ過ギザルモノニ非ザルコト、論ヲ俟タ」ず。（大判昭一五・一一・二二新聞四六四二・一二、評論三〇諸法一六五）

【75】「変電所ノ構内ニハ……高圧電流ノ停止セルモノト然ラザルモノトガ輻輳シ、殊ニ掃除箇所タル『オイルスイッチ』ノ附近ニ存在スル電位変成器ニハ高圧電流ノ通ジ居タルコト明瞭ニシテ」「苟モ斯ル地域ニ於テ電気ニ関スル智識経験ナキ人夫ヲ使役シ、『オイルスイッチ』ノ電線套管碍子ノ如キ設備ノ掃除作業ヲ為サシムルニ当リテハ、之ガ監督ノ地位ニ在ル者ハ、其ノ人夫ニ対シ、単ニ掃除ノ箇所ノミヲ指示シテ一応ノ注意ヲ与

フルニ止マラズ、少クトモ附近ニ存スル危険ノ設備ニ付テハ周到ニ指示説明シテ、誤リテ之ニ接触スルガ如キコトナキ様十分警戒シタル上作業ニ就カシメ、以テ危害ノ発生ヲ未然ニ防止スベキ業務上ノ注意義務アルモノト云ハザルベカラズ。」（大刑判昭一七・二・六新聞四七六〇・六、評論三一刑一〇）

(2)　しかし判例は、感電による死傷の原因が電気工作物の瑕疵にあると考えられる場合には、七〇九条によつて過失の有無を問題とすることなく、七一七条の工作物責任を問題としていることに、注意しなくてはならない。

そして、古い控訴審判決【76】に、電気事業者たる市の『占有者』としての過失（とおもわれる）を否定するものがあるが、多くの判決【77】【78】【79】は、工作物責任を肯定している。

【76】　高圧電気開閉塔の扉が開いて、それに危険物たることを認識しうるような表示がなかつたので、被害者が開閉塔内の装置に手をふれ、火傷を負つた事件において、その開閉塔に充電される電気が、電気事業法に基く電気工事規程によつて危険予防装置を要求される基準にわずか二百ボルト不足しているのに拘泥して、開閉塔の設置保存について電気事業者の過失を否定するもの。「電気事業法ニ依ル電気工事規程第十三条第二項ニ依レバ、人ノ触ルル虞アル位置ニ装置セル器具ニシテ特別高圧電気ヲ充当スルモノハ其ノ周囲ニ人ノ接触ヲ予防スベキ適当ナル装置ヲ施スコトヲ要ス、ト規定シアリテ、ソノ特別高圧電気トハ、同規程第二条第十六条第十七条ニヨリ三千五百『ボオルト』ヲ超過セル電圧ヲ指セルコト明ラカナレバ、本件高圧電気開閉塔ガ人ノ接触スベキ所ニ存セルコトハ…明カナルモ、ソノ充電ハ三千三百『ボオルト』ニ止マリ特別高圧電気ニ非ル…：ヲ以テ、本件開閉塔ニ付テハ人ノ接触ヲ予防スベキ適当ノ装置ヲ施サザリシトスルモ、未ダ以テ電気事業者タル被控訴市ガ本件開閉塔ノ設置保存ニ付キ適当ノ処置ヲ為サザリシモノトナスニ足ラズ。従テ、単ニ本件開閉塔ノ扉ガ開放セラレタル儘存セシ事実及危険物タルコトヲ認識シ得ベキ表示ヲ欠キタル事実ノミヲ以テシテ

ハ、被控訴市ニ右開閉塔ノ設置保存ニ付キ相当ノ注意ヲ施サザリシモノト認ムルニ足ラズ。」(東京控判大五・七・一五新聞一一七七・一)

【77】　仮支持線がゆるんで容易に取りはずしができ、取りはずすときは高圧線にふれるという危険な状態にありながら、そのまま放置し、危険予防の処置も講じなかつたため、被害者がみだりに取りはずして電柱の根元にひき寄せ、感電死した事件。「民法第七一七条ノ規定ハ土地ノ工作物ノ設置又ハ保存ニ瑕疵アルニ因リテ他人ニ損害ヲ生ジタル以上ハ、自然力ノ作用が近因ヲ存シタルト又被害者ノ行為ガ近因ヲ為シタルトヲ問ハズ、工作物ノ所有者又ハ占有者ヲシテ賠償ノ責ニ任ゼシムベキ法則ナルヲ以テ、原裁判所(大阪控判大七・三・六新聞一三八六・一九、評論七民一二六)ガ『本件ノ被害ハ被害者Aガ擅ニ電気工作物タル仮支持線ヲ取外シテ誤リテ送電線ニ接触セシメタルガ為漏電シテ死ヲ招キタルモノナレバ、被害者自己ノ過失ニ基クコト勿論ナリ。然リト雖モ、此ノ如ク容易ニ取外シ得ベキ仮支持線ヲ其儘ニ放置シタルガ為メ、動モスレバ他人ガ容易ニ之ヲ取外シテ高圧ノ送電線ニ接触セシメテ之ガ為メニ漏電スルコトノ危険アリシニ拘ラズ、之ヲ取除カズ、若クハ存置ノ必要アルニ於テハ木杭ニ固着セシメ適当ナル危険予防ノ処置ヲ施スベキハ電気企業ノ如キ特別ナル危険ヲ伴フ営業ニ従事スル者ノ宜シク為スベキ相当ノ注意ナルニ拘ラズ、控訴会社代表者ハ其注意ヲ怠リ予防ニ適当ナル処置ヲ為サヾリシモノト認ムルヲ至当トスベク、而シテ控訴会社代表者ガ右ノ処置ヲ怠ラザリシナランニハAモ亦前記ノ過失ヲ為スコトナカリシモノナレバ、控訴会社代表者ノ過失ハA変死ノ一原因ヲ為シタルモノト謂ハザルベカラザルガ故ニ、控訴会社ハ既ニ此点ニ於テ不法行為ノ責ヲ辞スルヲ得ズ』ト判示シ上告人敗訴ノ判決ヲ言渡シタルハ、固ヨリ正当」(大判大七・五・二九民録二四・九四五)

【78】　桑の木の枝間を通して高圧線を設置したために、桑の木に登つた者が電線に接触して感電死した場合に関し、原審が工作物設置の瑕疵による責任を認めたのを支持するもの。「……原審ノ説示スル所ハ……本件桑樹ノ生育ニ従ヒ之レニ登リタル者ガ電線ニ接触スル危険ヲ加フルノ恐アルガ如キ外部ノ状況ニ変化ヲ来シタル

ニ拘ラズ、上告会社ハ安全的性能保存ノ方法ヲ尽サザリシ為メ本件損害ヲ惹起シタルモノトシテ、其責任ヲ問ヒタル趣旨ニ外ナラザルヲ窺知シ得可ク、原審ニ何等所論ノ如キ違法ノ点ナシ。」（大判昭一二・七・一七新聞四一七二・一五、判決全集四・一四・三）

【79】 引込電話線の被覆剥離による感電死について、「電線ガ其ノ被覆剥離シ内部ノ銅線ヲ裸出シ居ルガ如キ状態ニ在ル場合ハ、其ノ危険愈々甚シキヲ以テ、斯クノ如キハ明ニ土地ノ工作物タル電線ノ設置又ハ保存ニ瑕疵アルモノ」である。（東京地判昭一五・一一・二八新聞四六七六・六、評論三〇民四四八）――電圧線の被覆剥離による感電死について、同趣旨福島地判昭二九・三・三一下級民集五・三・四四三。

三　漏電による出火の場合

判例は、電線の漏電で出火した場合に関して、以前はもっぱら失火責任法を適用したが、昭和七年・昭和八年の大審院判決は、七一七条に失火責任法をはめ込むという行き方をとっており、これが判例法となっている。もっとも、最近の下級審判決には七一七条だけを適用するものも出現している。

(1)　失火責任法を適用するもの

（イ）　挙証責任　家屋に引いた電線から発火して家屋を焼失した事件で、第一審は勇敢にも、挙証責任を被告に転嫁して、電燈会社の責任を認めたが（東京地判明三七・三・一一新聞二七五・一九）、控訴審は、電線から発火したことから直ちに過失（重過失はなおさら）を推定すべきでないとし【80】、大審院もこれを認めた【81】。その後の判例もこの態度を変えていない（大判大四・一〇・二〇民録二一・一七三五）。

【80】「電流ノ為メ電線ヨリ発火スルニ至ルハ其原因必ズシモ一様ナラズ、或ハ設備ノ不完全ナルニ基クコトアリ、或ハ電気器具ノ使用方法其宜シキヲ得ザルニ出ヅルコトアリ、或ハ雨漏其他ノ湿潤若クハ鼠害ノ為メ生ジタル電路ノ故障ニ因ルコトアルヲ以テ、電線ヨリ発火シタルノ一事ニ依リ直ニ電燈供給者ニ対シ過失ノ推定

ヲ下スヲ得ズ。況ンヤ重過失ノ推定ヲヤ。」(東京控判明三九・九・二八新聞三八八・六)。――同趣旨東京控判明治四三・四・一三最近判七・一六〇。

【81】「凡ソ不法行為ヲ原因トシテ損害賠償ヲ請求スル原告ガ被告ノ過失ニ因リテ損害ヲ被リタルコトヲ主張スル場合ニ於テハ、其過失アリタル事実ヲ立証スベキ責任ハ其事実ヲ主張スル原告ニ在ルヲ原則トス。而シテ事件ニ依リテハ其損害ガ被告ニ過失アルニ非ザレハ通常生ゼサルベキ事情ノ存スルコトナキニアラザルヲ以テ、斯クノ如キ場合ニ於テハ其損害ハ一応被告ノ過失ニ原因シタルモノト推定スルコトヲ得ベシト雖モ、其推定ヲ為スニ足ルベキ事情ノ存スルコトハ先ヅ原告ニ於テ之ヲ立証スルノ責ニ任ゼザル可カラズ。況ンヤ本件ハ失火ノ責任ニ関スル場合ナルヲ以テ、明治三十二年法律第四十号ニ依リ民法第七百九条ノ規定ハ失火者ニ重大ナル過失アリタルトキニ非ザレバ之ヲ適用スルコトヲ得ザルニ於テオヤ。」(大判明四〇・三・二五民録一三・三二八)

(ロ)　A家の漏電による火災が折から吹き荒ぶ北風にあおられて隣家Xをも延焼した場合に、電燈会社Yが送電を中止しなかつたことが重過失となるかが、問題となり、次の東京控判は重過失を否定した【82】。他の東京控判(事実不詳)も、烈風に際して送電を遮断しなかつたのを重過失に当らないとしている(東京控判明四三・四・一三最近判七・一六〇)。

【82】「XハY会社ガ暴風中殊ニ各所ニ漏電アルニ拘ラズ送電ヲ中止セザリシハ、電気事業取締規則第六十七条ニ違背セリト主張スルモ、同条ハ暴風其他非常ノ場合ニ危険ノ虞アリト認ムベキ区域ニ限リ送電遮断ヲ命ジタルモノナルヲ以テ、発火ノ現場タル新柳町付近ニ於テ火災前電柱ノ倒壊電線ノ落下切断等漏電ニヨリ人ノ生命身体財産ニ危害ヲ及スベキ虞アリタリト認ムベキ事迹アリタルコトガ証明セラレザル本件ニ於テハ、以上ノ事実ハ未ダ以テY会社ガA方ヘノ送電遮断ヲ為サヾリシニ付過失アリト推測セシムルニ足ラズ。」(東京控判明四四・六・一五新聞七四四・二三)

（ハ）　電燈引込線からの発火の事件につき、昭和一一年の東京地判は、――新しい判例理論出現後のものであるが、失火についての重過失を問題とし――次のように（【83】）判示した上で、「況ンヤ本件発火ハ原告側ニ於テ無断『フューズ』ノ取替ヲ為シ偶々『フューズ』ノ瑕疵ニ因ル短絡（ショートのこと）ヲ起シタルニ原因スルモノ」として、会社の責任を否定している。

【83】「当時特ニ検査又ハ修理ノ必要アリ、且之ヲ電力供給業者ガ知リ乍ラ又ハ甚シキ不注意ニヨリ之ヲ知ラズシテ応分ノ措置ヲ為サザリシ等ノ特別ノ事情ノ在リタル場合ハ別論ナルモ、斯ル状況ノ認ムベキモノナキ限リ、電力供給業者ガ前記電気工作物規定ノ示ス最小限度タル年一回ノ定時ニ試験ヲ為シテ漏電等ノ虞レナキヤ否ヤヲ検査シ危険ノ防止ニ備ヘ居ル以上（但シ巡回ノ順路ノ関係ニヨリ試験ノ間隔ガ一年ニ多少ノ長短アルハ事実已ムヲ得ザルトコロニシテ深ク咎ムルニ足ラザルモノトス）、電力供給業者ガ巡回調査ヲ為スベキ義務ヲ甚シク怠リタリトハ称シ難」い。（東京地判昭一一・九・二九新聞四〇八七・一〇、評論二五民一〇七五）

(2)　七一七条と失火責任法を重畳的に適用するもの　大審院は昭和七年・八年と続けて、七一七条に失火責任法をはめ込むという方法をとり、工作物の設置・保存について『重大な過失』があったか否かを問題とする。

【84】　Y電気会社は道路改修工事の際電柱を移転した結果、高圧線がXの宅地内にある杉の木にふれるほどになつた上、電柱は根もとがすでにくさつて、風のために動揺し、電線が杉の木に接触して裸線となり、火花を発して幹を焦がすほどになつたので、XはYに修理を請求したが、そのまま放任された。それが大風の際に出火となり、Xの家屋を焼失した。原審は七一七条により電柱・電線の保管につきYに重過失があるとしたので、Yは上告して、失火については七一七条の適用はないと争つた。「Y会社ガ其ノ架設シタル電線電柱ノ瑕疵ノ修

理ヲ怠リタル為該電線ヨリ漏電シテ火花ヲ発シ、遂ニXノ住家浴場及其ノ内ニ在リタル動産ヲ焼燬スルニ至リタルコトハ、原判決ノ認ムル所ニシテ、是畢竟Y会社代表者ノ修理ニ関スル不注意ニ出デタルモノト謂フベク、即其ノ過失ニ因リ火ヲ失シタルモノナレバ、明治三十二年法律第四十号失火ノ責任ニ関スル法律ノ適用ヲ受クベキモノナリト雖、原判決ノ認定スル所ニ依レバ、其ノ過失ハ重大ナル過失ニシテ其ノ認定ノ不法ニ非ザルコト第二点説明ノ如クナレバ、上告会社ハ民法ニ定メタル不法行為ノ責任ヲ免レザルモノトス。故ニ原院ガ上告人ニ対シ民法第七百十七条ニ依リ損害ヲ賠償スベキ旨ヲ判示シタルハ不法ニ非ズ。」（大判昭七・四・一一民集一一・六〇九（判民五一事件末延））

【85】　Xの家屋から約十八間はなれた田地にある高圧電柱が一部指頭で剝離しうる程度にくさり、これに取りつけてある腕木も傾斜していて、電線との接触で引火しやすい状態にあった。近隣の者がY会社に修理を申出たが、放置しておいたところ、強風のため電線と電柱とが接触して漏電発火し、Xの家屋も焼けた。原審（宮城控判昭八・一・三一評論二二民四〇一）は、出火の原因は工作物たる電柱に瑕疵があったことによるほか、Y会社が近所の者の申出を顧みず修理工事を怠った重過失によるものとして、Yの責任を認めた。Yは、上告して、会社の機関に重大な過失のあることは証明されていない、と反論した。大審院は、この点にも答えるほか、次のように判示した。「高圧ノ電流ヲ通ズル電線ニ在リテハ、一度漏電センカ其ノ人命財産ニ加フル危険ノ大ナルモノアルヲ以テ、斯ル電線架設ノ工作物ヲ設置スルニ当リテハ、電気業者トシテ細心ノ注意ヲ施スコトヲ要スルハ勿論、其ノ工作物ノ保存ニ付テモ注意ヲ怠ラザルコトヲ要スルヲ以テ、若シ其ノ工作物ニ危険ヲ惹起スル虞アル状態ヲ生ジタルニ之ヲ除去スル方法ヲ講ゼザリシ場合ニ在リテハ、之ヲ以テ其ノ工作物ノ設置保存ニ瑕疵アルモノニシテ且重大ナル過失アルモノト做シ得ベキモノトス。従テ原審ノ確定シタル前示事実ノ下ニ、上告会社ノ配電線ヲ架設セル電柱ノ工作物ニハ保存ニ瑕疵アルト共ニ注意ヲ欠キタル重大ナル過失アルモノト為スヲ相当トスルニ因リ、該電線ヨリ漏電出火シ以テ火災ヲ生ズルニ至リタルハ重大ナル過失ニ因リテ火ヲ失シタルモノト做シ得ベキモノトス。」（大判昭八・五・一六民集一二・一一七八（判民八五事件川島））

(3)　七一七条のみを適用するもの　高圧線が立木と接触して発火し、火花が家屋に飛び散つて火災を生じた場合に関し、近時の東京高判は七一七条のみを適用する。

【86】　立木と高圧線の接触で発火しそれが家屋に延焼したと推認される事件で、従来も立木と高圧線の接触で出火したことがあり、電気会社に処置を依頼したのに漏電の危険を除去しなかつたこと、時水支線の管理について巡回・見廻り等電気事業法施行規則に定められたことは、何一つしていなかつたことは、電路の保存について瑕疵があつたものというほかないとして、七一七条を適用する。「民法第七一七条の責任は危険な物を占有または所有する者はその結果たる損害について当然に責任を負うべしとするいわゆる危険責任であることにかんがみるときは、『失火ノ責任ニ関スル法律』はこの場合適用がないものと解するを相当とする。仮に適用があるとしても、同会社は、……再三漏電の危険を除去するよう適当な処置をとるべきことを求められながら、敢えてこれをなさなかつたのであるから、本件電路の保存につき重大な過失があつたものというべく……」（東京高判昭三一・二・二八高裁民集九・三・一三〇）

(4)　判例の推移の意味　まず、判例が失火責任法のみの適用から七一七条へ失火責任法をはめこむ方法へ移つたことの意味を考えてみよう。もつぱら失火責任法を適用する場合には、失火自体について「重過失」を必要とするのに反し、七一七条に失火責任法をはめ込む方法によれば、失火に対する直接の重過失を必要とせず、工作物（電線とか電柱）の瑕疵に関する間接的な重過失で足りることになる。その点、後者の方が、電気会社の責任は容易に認められることになる。もつとも、失火の原因たるべき工作物瑕疵についての重過失ならば、ほとんどつねに失火自体についての重過失があるといえるから（判民昭和八年八五事件川島評釈）、実際上の差異はほとんどないかも知れない（失火責任法を適用する立場からは重過失を認めるのをきらつた判例が、【84】【85】の新しい理論のもとでは重過失を肯定しているが、この二つの事件はどちらも失火自体についての重過失も認めうるような場合である)。しかし、心理的には、やはり新しい判例理論による方が重過失を認定しやすいのではあるまいか。そして、失火については重過失による場合のほか責任を負わないとする失火責任法の定めは、木造家屋の多いわがくにでは古くからの慣習となつているところではあるが（大連判明四五・三・二三民録一八・三一五参照）、合理的根拠を欠く悪法とも非難されており（たとえば宗宮・不法行為論八八－九頁）、危険物を取扱う者の責任をもつと強化すべきものと考えられる。したがつて、新しい判例理論は単純に失火責任法を適用する立場に比してひとつの進歩というべきである。

もつとも、この判例理論がもつとも適切だというわけではない。学説としても、失火責任法だけを適用するもの（判民昭和七年五一事件末延、判民昭和八年八五事件川島）や、七一七条をそのまま適用するもの（我妻前掲一八四頁、戒能・債権各論四八六頁）が有力であり、近時は、工作物から直接生じた火災については七一七条、延焼した部分については失火責任法を適用すること（加藤前掲一九八頁）が主張されていて（私はこの説がもつとも適切だとおもう）、判例理論にはなお問題の存することは、否定できない。その意味で、戦後の下級審判決のなかに、七一七条を適用するものの現われたことは注目に値するが、すべての関係で七一七条を適用することは失火責任法の適用される場合と権衡を失して不当であり、これがはたして判例法となるかは疑問であるようにおもわれる。

七　木材取扱業務の場合

木材取扱業務に関する判例は、危険な業務一般に関する注意義務配分の法則をかなり典型的な形でわれわれに提示している。

第一に、「善良ナル管理者ノ注意ヲ以テ危険防止ニ必要ナル手段ヲ取」る義務がある【87】。しかし、第二に、周囲の者（被害者がわ）も事故発生防止に努めなければならない。【88】の事件の原審判決はもつぱらこの点のみを考慮するものということができる。

第三に、もし周囲の者に不注意があつて、とくに事故発生の危険を生じた場合には、業務者は極力事故発生の防止に尽くさなければならない。【88】の大審院判決は、まさにこの場合に業務者の過失を認定するものであつて、正当な解決というべきである。

【87】 立木の伐採に従事していた人夫Aが、がけ上から急傾斜のがけ下へ木材を落す際、なんら警告をしなかつたために、たまたまがけ下で木材搬出に従事していたXが木材に圧されて負傷した事件につき、人夫の過失を認めたもの。「其現場の地勢ハAノ伐木シ居タル場所ヨリ用材ノ如キ物ヲ転落セシムル時ハ、X負傷ノ場所ニ墜落スベキ関係ニアリテ、其付近ハ伐木転落上危険区域ニ属シタルモノトス。此ノ如キ地勢ノ場所ニ於テ上方ヨリ木材ヲ伐採転落セシムルニ当リテハ、下方ニ於ケル人ノ出入如何ヲ慮リ、危険予防上相当ノ措置ヲ施シ、之ニ対シ危害ヲ生ゼザルベキ様周到ナル注意ヲ用ヒザルベカラザルモノニシテ、即チ善良ナル管理者ノ注意ヲ以テ伐採事業ニ従事セザルベカラザルモノトス。」（大判大八・一二・二二民録二五・二三四八）

【88】 Xが木材積取汽船に乗り込んで木材の積取作業に従事中、次の木材が艙内に下降して来るまでの間ドック（船荷積み下ろし用のドックであろう）に腰かけて休息していた。同僚のAが『そこは危険だから』と注意したのに、依然その場所にいたところ、次の木材が艙内に下降して来て、Xの足もとに向つて転び出したので、あわてて立ち上つたが、足をふみはずし、木材の間に足をはさまれているうちに、転んで来た木材で足を強打された事件。原審は、かような事実に基いて、負傷は他の従業者の過失によるものではなく、X自身の過失によるものだ、とした。

大審院はこれを破毀差戻する。「木材ノ積取等ノ如キ往々危険ヲ生ズルノ虞アル作業ニ従事スル者ハ、善良ナル管理者ノ注意ヲ以テ危険防止ニ必要ナル手段ヲ取ラザルベカラザルモノニシテ、其ノ作業中ニ危険ヲ生ゼントスル事故発生シ、一片ノ警告ニ依リテ之ヲ防止スルニ十分ナラズト思料セラルル場合ニ於テハ、或ハ一時其ノ作業ヲ中止シ、或ハ危害ヲ被ラントスル者ヲ他ノ安全ナル場所ヘ連レ行キ、或ハ其ノ他臨機ノ処置ヲ施シテ危険ヲ未然ニ防止セザルベカラザルモノナルコトハ、事理ノ当然トスル所ナリト謂フベク、此等危険防止ノ方法ヲ施シ得ルニ拘ラズ之ヲ為サザルトキハ、単ニ一片ノ警告ヲ発シタルノミニヨリテハ過失ノ責任ヲ免ルルコトヲ得ザルモノトス。」（大判昭三・一一・一九新聞二九三八・一二、評論一八民一三四）

八　医療行為の場合

医師の過失は、治療上の過失とそれ以外の過失とに分けることができるが、治療と関係のない事項（たとえば、保険医が事実に反する死亡診断書を作成する場合（大判昭一三・一二・一三判決全集六・九・五）など）に関する場合は、医療行為特有の問題はないから、省略することにする。

一　医療上の注意義務一般

(1)　結果発生の予見・回避の可能性

(イ)　一般的に不可能である場合　医療に従事する者が用いるべき注意義務は、医学の法則や取締規定の示すところに従って一般的＝類型的に一応定まっているが、それらは、人間の生命や健康を対象とする医療行為の性質上、一般的にはかなりきびしいものであってよいわけである。だが、それがそのまま医師の注意義務となるわけではなく、それには、まず、当該場合において、そのような指示に従えば結果の発生を予見しかつ回避しうるものであることが必要である。

したがつて、たとえば、内科医が診察したときにすでに盲腸炎化膿症の重態で回復の望みがうすかつたような場合には、外科手段をすすめなかつたとしても、過失とならないとされるのは【89】、当然である。

【89】「右Aノ疾病ハ発病以後被告ガ之レヲ初メテ診察シタルトキ既ニ重態ニシテ、回復ノ望薄ク、被告ハ之レニ対シ医師トシテノ相当ノ注意ヲ用ヒテ適宜ノ手当ヲ講ジタル事実ヲ認ムルニ足リ、右認定ヲ覆スニ足ル証左ナク、証人……ノ証言ニヨルモ前記ノ如キ症状ニ対シ内科医タル被告ガ内科的治療方法ニヨリ外科的手術ヲ勧告セザリシコトガ必ズシモ失当ニ非ルコトヲ窺フニ足リ、ソノ他原告等ノ全立証ニ依ルモ未ダ被告ノ過失ニ因リAヲ死ニ至ラシメタル事実ヲ認ムルコトヲ得ズ。」（東京地判昭六・九・二八新聞三三二三・一七）

これに反し、いわゆる梅毒輸血事件に関する最近の判決が、輸血の際に給血者に対し「売春婦と接したことがあるか」という問診を行うべき注意義務を一応認めた上で、そのような問診によつて梅毒感染の有無を知りうるか否かの問題に関してこれを肯定し【90】、病院がわの責任を認めたのは、損害の塡補を目的とする不法行為制度の理想に合するものだが、過失の認定それ自体としてはいささか疑問であろう。けだし、輸血のための採血に際して上のような質問を行うことは、従来一般には行われなかつたところであり、それに、この質問に対してイエスと答えると給血を断わられるのは必定である以上、最近梅毒感染の機会をもつたことを自ら知りながら供血に来ている職業的給血者（それは患者ではないのだから）が真実を述べるということは、まず期待できないのではないかと考えられるからである。この判決は、裁判所が医師に対してきびしい注意義務を要求していることを示すと同時に過失主義の限界をも暗示するものというべきであろう（本判決の批評については、四宮「梅毒輸血事件の判決について」ジュリスト一二〇号二八頁以下）。

【90】 医師Aが給血者から採血するに際し「身体は丈夫か」とたずねただけで採血し、Xに輸血したところ、Xが梅毒にかかつた。給血者Bは採血の十二、三日前売春婦と接したこと、したがつて採血当時は検査をしても陰性であることが判明した。「梅毒感染後その血清反応が陽性を示すようになるまで、及び外観的症状が発現するに至るまでにはそれぞれ相当期間を要すべきものであり、且つ陰性期間中の梅毒感染者の血液を輸血することによつて、梅毒罹患の結果を生じ得るものである以上たとい給血者が信頼するに足る陰性の血清反応証明書……を持参し、健康診断及び血液検査を経たことを証する給血斡旋所の会員証を所持する場合であつても、これらによつて直ちに輸血による梅毒伝染の危険なしと速断するを得ない筋合である。そして……陰性または潜伏期間中における梅毒罹染の確定的な診断を下すに足る利用可能な科学的方法がないとすれば……梅毒感染の危険の有無について最もよく了知している給血者自身に対し、医師として梅毒感染の危険の有無を推知するに足る事項を発問し、その危険の有無を確かめ、事情の許す限り（本件の場合輸血が一刻を争う緊急の場合でないこと原判決認定のとおり）かかる危険のないと認められる給血者から採血すべき注意義務あるものと考える。」認識可能性の問題に関しては、「職業的給血者と雖も医師がかかる危険の有無の判断となるべき事項について具体的に詳細な問診をなせば、一々答える必要があり質問に対する反応を見る機会も多く、その心理的影響によつて真実を述べる場合のあることも相当予想せられるのである……。」（東京高判昭三一・九・一七下級民集七・九・五四三）

（ロ） 特別の事情のある場合　医師のなすべき行為として医学上・法規上要求される行為は、その行為によつて結果発生の予見および回避が一般的に可能であるかぎり、医師の守るべき注意義務とされ、これを怠れば医師の過失となるわけだが、予見しえない特別の事情があつて、そのために結果発生の予見ないし回避が不可能であつた場合には、過失の成立が阻却される。医療行為の場合、かような特別の事情としてもっともしばしば判例に現われるのは、患者の特異体質である。その例として、次の判決がある（なお【105】参照）。

【91】　子宮病の手術に際して麻睡剤を使用したために死亡した場合「『クロロホルム』麻睡剤ヲ使用スルニ当リテハ、仮令其用法ニ過チナシトスルモ、時トシテハ受術患者ノ特質ニ依リ麻睡死ヲ来タスコトアリテ其原因ハ医学上ヨリハ予断シ得ザルモノナルコト明瞭ナルガ故ニ、亡Aガ『クロロホルム』麻睡剤使用ノ為メ死亡シタル事実アルガ為メニ直チニ其主任医タル被告ニ過失アルモノトハ認メ難」い。（東京地判明四四(ワ)二五〇、新聞八一二（大正一・九・一五）六、評論一民二一四）

【92】　妊娠による悪阻になやむ患者にレントゲン放射治療を施し、やけどを生じた事件。「結局原告Xニ前記ノ如キ火傷ヲ生ジタルハ、其ノ皮膚ノ感受性ノ過敏ナリシニヨルモノト認ムルノ外ナク、右感受性ノ過敏ヲ予見シ得ベカリシ事情ノ存シタルコトハ之レヲ認ムルニ足ル措信スベキ証拠ナキヲ以テ、右火傷ニ付テハ被告Yニレンゲン操作ノ過失ノ責ヲ負ハシムベカラザルモノトス。」（東京地判昭一三・三・三〇新聞四二七一・三）

特異体質のような予期しない原因の介入によって事故の生じた場合に、医師の過失を否定するのは一応やむをえない。しかし、たとえばペニシリン・ショック死の場合のように、一般に防止の方法が試みられつつある場合にこれを怠れば過失を認めるべきであることは（加藤「医師の責任」我妻還暦(上)五二三頁）、いうまでもなく、その他の場合でも、特異体質によって事故の生ずる可能性のあることが一般に認められている場合には、一応特異体質の有無をたしかめるべきではなかろうか（もっとも、一応の検査でその疑がないと考えられる場合には、そのまま治療してよく、異常な事態にそなえて万全を期すべき義務を要求することはできないであろう）。

(2)　注意義務の確定に関する一般的問題

(イ)　医療行為者に特殊性のある場合

(a)　専門や地域による差異　医師の守るべき注意は、「良識をそなえた通常一般の医師」(福岡高刑判昭和三一・三・一三【112】)のなすべき注意を基準とするといえるが、それはすべての医師に全然同一の注意義務を要求するものではなく、『善良なる管理者』の観念自体がすでにその職業や環境を前提とする以上、医療行為に際して医師の守るべき注意義務も、その具体的な医師の専門や地域(locality)を考慮して決めるべく、専門の医師や都会の医師ならば許されないことも、専門外の医師や辺鄙な地方の医師なら許されることがありうるはずである(この点については、加藤前掲論文五一九頁以下)。

かような点を考慮したあとの看取されるものとしては、前出【89】のほか、次の【93】がある。

【93】　ビタミン剤注射で化膿し、右腕上膊部の化膿部分を手術した際、化膿部位について診断の誤があったために手術の結果が思わしくなく、機能障害を残した事件。「控訴人がこの手術をなすに際し、その化膿部位の位置について診断の誤りがあったため手術の結果が思わしくなかったことは窺えるが……控訴人の専門は内科小児科であるが都会地から遠く医師が少いための已むを得ず専門外の外科も応じなければならない事情にあることが認められるのであって、その他諸般の事情を考慮すると……これをもって民法不法行為上の過失として論ずることは出来ない。」(札幌高判昭二九・一二・八民集一一・五・七二七)――もっとも、本判決は注射についての過失は認めている(一九三頁参照)。

(b)　補助者を使用する場合　医師が調剤の資格・能力のない者を使用して調剤させる場合【94】や、泣いている幼児に丸薬を服薬させることを看護婦に命ずる場合【95】などには、慎重な指示ないし監督が要求される(いずれも刑事判決で、業務上過失致死を認めている)。

【94】「医師ガ調剤ノ資格ト能力ナキ者ヲ使用シテ調剤ヲ為サシムルハ、自己ガ当ニ為スベキ職務行為ノ一部ヲ自ラノ手足ニ於ケルト同一ノ関係ニ於テ担当セシムルモノニ外ナラザルヲ以テ、斯ル者ヲシテ調剤ヲ為サシムルニ当リテハ、周到ナル注意ヲ以テ之ヲ指揮監督スベキ義務アルモノニシテ、殊ニ本件『ネマトール球』ノ如キ数量ノ多寡ニヨリ人ノ身体生命ニ危害ヲ醸ス虞アル薬品ヲ取扱ハシムル場合ニアリテハ、一層細心周密ナル注意ヲ以テ監督シ、苟且ニモ調剤ニ過誤ナカラシムルヤウ努ムベキハ、医師トシテノ業務上当然ノ義務ニ属ス。」（大刑判昭一三・一〇・一四評論二八刑一）

【95】「医師が看護婦その他の従業者をして服薬を拒否し泣き続ける幼児に豌豆大の錠剤を服薬せしめるような特殊な場合は、泣くこと自体既に深呼吸をなす状態であるから、この際錠剤は気管内に嵌入し直ちに窒息死に至る危険あることは当然容易に予想されるが故に、この危険を避けるために看護婦等に対し適宜な方法を指示すべき業務上の注意義務を有することは条理上当然である。」（大阪高刑判昭二六・一二・一〇高裁刑集四・一一・一五二七）

(c)　無資格者が医療行為を行う場合　医師たる資格のない者が医療行為を行うことは、医師法により罰則をもつて禁止されているが、次の判決は、医師たる資格のない者の行為も、当然に過失があるとはいえない、としている。

【96】「医師タル資格ナキモノ、行為ト雖モ其為シタル個々ノ行為ガ常ニ過失ニ基クモノト推断スルヲ得ザルヤ当然ナリト謂フベク、従テ控訴人ニ於テ他ニ特段ノ療法ヲ要スベキ症状ニアリタル事実ノ立証ヲナサザル以上、亡Aノ死ハ被控訴人Yノ過失ニ基因スルモノト断定スルニ足ラズ。既ニ被控訴人Yノ為シタル診療ニ何等其責ニ帰スベキ過失ナキコト以上説示ノ如シトセバ、同人ガ仮リニ控訴人主張ノ如ク、医師タル資格アルモノノ如ク装ヒ右患者ヲ診療シ、因テ控訴人等ヲシテ他ノ適当ノ医師ニ診療ヲ求ムルノ機会ヲ逸セシメタリトスルモ、該事実ノミニ依リ直チニ同被控訴人ニ対シ亡Aノ死亡ニ付過失ノ責ヲ負ハシムルニ足ラザルコト多言ヲ俟

タズ。」（東京控判大一四・二・二八新聞二四〇一・六）

ただ、無資格者がかなり技術的な医療行為を行って事故を生じた場合には、蓋然性の見地からも、公平の見地からも、過失を推定すべきであろう（自動車の無免許運転については注意義務違反を認める判決がある、一二二頁参照）。

（ロ）診断・治療上で断定の困難な場合

(a) 診断の困難な場合

（i）患者の病状がまぎらわしくて診断の困難な場合に関しては、医師の誤診をただちに過失と断ずることを、さしひかえる判決が少くない。

たとえば、早発性痴呆症の患者を生来性神経衰弱と判断して、自由外出を許したところ、鉄道自殺したという事件において、東京控訴院は、一たん病院がわの過失を認めたが（東京控判大一二・七・三一新聞二二〇四・六）、その破毀差戻後の判決と推定される判決【97】では、早発性痴呆も本件の患者の症状程度では生来的神経衰弱と区別することが困難であることをひとつの理由として、病院がわの過失を否定しているのである。

【97】「早発性痴呆ト雖モ、斯ノ如キ程度ノ症状ニ於テハ、之ヲ生来性神経衰弱ト鑑別スルコト頗ル困難ニシテ、之ヲ後者ナリト診断スルモ敢テ医師ノ過失ト為スヲ得ザルノミナラズ、一般神経衰弱症ニ用フル如キ療養程度ヲ以テ満足スベク、特ニ之ヲ精神病院ニ収容セザルベカラザルモノニ非ズ。又患者ガ既ニ自殺ヲ遂ゲタル現在ノ結果ヨリ之ヲ顧ミレバ、或ハ之ヲ精神病院ニ収容シ若クハ普通病院ニ収容シタル場合ニ於テモ自由ナル外出ヲ禁ズル等監視ヲ厳ニシタルコトヲ可ト為スベキモ、之ヲ自殺以前ノ前示病状ニ於テ判断スルトキハ、濫ニ患

者ノ自由ヲ拘束スル如キハ医師トシテノ治療ヲ逸脱シタル行為ト称スベキモノナルノミナラズ、時トシテ患者ノ自由ヲ拘束スルヨリモ自由ニ外出ヲ許ス方治療上ニ於ケル効果著シキ場合アルベキヲ以テ、前示ノAノ症状ヲ以テ自由ナル外出ヲ許スモ自殺ノ虞ナク却テ治療上適当ナリト診定シ、自由ニ外出ヲ許シタレバトテ、之ガ為メニ必ズシモ医師トシテノ適当ナル処置ヲ誤リタルモノト断ズル能ハズ。」(東京控判昭二・五・一六新聞一三〇・一四)

診断の困難な盲腸炎の誤診に関するいくつかの判決もその例といえよう。すなわち、【98】盲腸炎を腸カタルと誤診したとしても、時節が小児の腸カタルの多い夏で、従来は小児に盲腸炎は比較的少いとされていたことにかんがみ、内科医として診断上過失がないとする東京控判(昭一一・七・一八新聞四〇五五・一一、評論二六民四四)、【99】発病前後てんぷらと蜜豆を食べ、月経に痛みをともなうくせがあり、盲腸の位置が異常で、盲腸部のいたみを訴えたこともない場合、盲腸炎を発見できなかつたとしても、医師の過失ではないとする東京控判(昭一二・六・二三新聞四一六〇・八、新報四八五・一七)、【100】盲腸炎患者に対し、はじめ胃カタルと診断した医師が、その後相当の注意を用いて、腹膜炎発病後四八時間以内に盲腸炎と腹膜炎との併発と診断して外科手術を受けさせた場合は過失はないとする東京地判(昭一五・一二・一六評論三〇民一七一)が、それである。

さらに、【101】幼児を扁桃腺炎と急性腸炎の併発と診断したが、その夜半から病状が急変し、翌朝疫痢と診断して急遽病院へ収容させたが死亡したという事件でも、その症状からして医師に診断上の過失がないとしている(金沢地判昭三一・四・三〇下級民集七・四・一〇五——【114】参照)。

(ii)　しかし、診断が困難であることを理由に誤診の過失を否定することには、重大な制限があるといわなければならない。けだし、甲乙いずれの病気であるか症状だけでは判定し難い場合には、一応双方の嫌疑をかけて、一層精密な検査を行うとか、他の専門医に見させるとかすれば、どちらかに判定することが可能かも知れないからである（検査の機械がないとか、近くに専門医のいない場合はやむをえないが）。盲腸炎の誤診に関する判決の場合にしても、盲腸炎類似の症状があるなら、医師としては白血球の検査等をするとか、外科医に見せるとかすべきで、症状がまぎらわしいとの理由でただちに過失を否定することには、問題があろう（加藤・前掲論文五一二頁も疑問を表明する）。

その点、【102】大阪控判昭和一七・七・六（新聞四七八六・七）は、限界を充分に心得ているといえる。これは、腸チブス患者を、それと症状のよく似た胃腸性感冒と誤診したために、附添看護婦に感染させた事案に関して、兄弟が引続いて発病したような場合には、病菌検出の処理をするとともに保菌者を隔離する時期を失しないようにしなければならない、として医師の過失を認めたものである。

また、最近の神戸地判【103】は、下腹部に強打を受けて、腸管破裂を疑うべき症状を呈しているのに、市民病院の医師が外科部長に連絡もせず、開腹もしないで、冷湿布と注射だけを施して病態観察に終始したため、開腹施療の時機を失して死亡させた事件に関し、過失を認定している。

【103】「診断上の難症に立会つたのであるから、直ちに外科部長に連絡してその協力指示を得、診療上の過誤なきを期するのが臨床上至当であつたと思料される。」「一歩を譲つて一般の外科医としては、かかる場合一応患者の症状経過を見るのが通常であるとしても、同日午後十時頃には……腸管破裂による腹膜炎の疑が一段と濃厚となつたのみならず、この時は若し前記死因により腹膜炎が起きているとすれば、開腹治療を施すべき限界時に迫つていたこと……明白であるから、この時に至つてはA医師は最早遅疑逡巡すべきでなく、自ら開腹手

術を断行するか、或いは外科医長に遅滞なくその旨を報告してその指示又は直接診断を求めて開腹手術による適正治療の実効を期するか、そうすることに支障があつたなれば患者をして他に手術に必要な人的物的設備の完備せる病院に移らしめる等臨機応変の処置を採るべき診療上の注意義務がある。」（神戸地判昭三〇・七・一九下級民集六・七・一五一九）

(b)　治療方針に関する裁量　前掲【97】の東京控判は、治療方法に関して断定の困難な場合には、医師にある程度の自由裁量が認められることをも、示すものということができる。けだし、本判決は、病院がわの過失を否定する根拠として、早発性痴呆と生来性神経衰弱とが鑑別困難であることのほかに、次のような事情――すなわち、結果論からすれば、精神病院に収容するか、自由を拘束した方がよかつたが、患者の症状から判断すれば、患者の自由を拘束することが許されないばかりか、「時トシテ患者ノ自由ヲ拘束スルヨリモ自由ニ外出ヲ許ス方治療上ニ於ケル効果著シキ場合アルベキ」ことを、指摘しているが、これは、医師としては、外出禁止と外出許可のどちらに決定してもよかつたことを意味するものにほかならないといえるからである。

(ハ)　緊急の場合　処置を急いで行わないと患者の生命や健康に重大な影響のある場合には、慎重な行動を医師に要求することはできないから、一般的注意義務を欠いても、過失とならないことがありうる。いわゆる梅毒輸血事件の判決【90】において、医師が給血者に対し問診を行うべき注意義務を認めるにあたつて、「本件の場合輸血が一刻を争う緊急の場合でないこと」をひとつの根拠としているのは、医師の注意義務を決定するひとつの要素として、医療処置の緊急性の程度が考慮されなければならないことを、示すものである。

二　挙証責任

(1)　一般には、注意義務懈怠の挙証責任は原告がわにあるが、被告は上述の特別の事情(一八四頁)を挙証すれば過失の責任を免れることができる。

(2)　しかし、近時――いずれも注射に関するものだが――事故が発生すればその結果からただちに注意義務懈怠を推定し、特別の事情(たとえば異常体質)を被告が挙証しないかぎり、医師に過失があるとして、『一応の推定』を認める判決が出現していることは、きわめて注目に値する。すなわち、昭和一五年の東京地判【104】は、その後半の部分で、特別の事情のないかぎり、注射針の折れたこと自体が注意義務の懈怠を認定させるといっており、昭和二十七年の京都地判【105】も、注射針の尖端が坐骨神経のすぐ近くまで達したために神経麻痺症状を呈するに至った事件において、患者が特異体質だとの反証がないかぎり医師の過失を推認すべきものとしているのである。

【104】「凡ソ医師ガ患者ニ対スル医療行為トシテ其ノ体内ニ注射針ヲ穿刺セントスルニ際シテハ、予メ其ノ使用セントスル注射針自体ニ瑕疵ナキヤ否ヤヲ十分確カムベキハ勿論、之ヲ患者ノ身体ニ穿刺スルニ当リテハ、之ニ与フル力ノ程度及方向等ヲ誤ルコトナキ様深甚ナル注意ノ下ニ操作スベク、特ニ其ノ患者ガ小児ナル場合ニアリテハ、其ノ小児ガ注射針穿刺ニ因ル疼痛若クハ畏怖等ノ為急激ニ身体ヲ動カス虞アルコト睹易キトコロナルヲ以テ、予メ其ノ身体ノ安静ヲ保持セシムベキ固定操作ニ遺憾ナキヲ期スルト共ニ、万一患者ノ身体ガ突嗟ニ動揺スルガ如キ事態ニ遭フモ直ニ之ニ対処シ得ベキ周到ナル心構ヘヲ持シ、以テ注射針ノ中折スルガ如キ不祥事ノ発生ヲ未然ニ防止スベキ万全ノ注意ヲ施ス義務アリト謂フベク、然ルニ本件ニアリテハ……被告ニ於テ僅カ四歳ノ小児タル原告Aノ肋膜ヨリ水ヲ抽出スベク其ノ背部ニ注射針ヲ穿刺シタル際、其ノ針ガ折レ針ノ一

部ガ原告ノ体内ニ残留スルニ至リタル事実自体ヨリ推考スレバ、他ニ特別ノ事情ノ認ムベキモノナキ限リ、右事故ノ発生ハ被告ニ於テ施スベカリシ上掲注意義務ノ孰レカニ欠クルトコロアリタルニ由ルモノト認定セザルヲ得ズ。」（東京地判昭一五・一二・九新聞四六七七・七、評論三〇民四五三）

【105】「極く稀にではあるが患者が異常体質の場合にはたとい神経の近くに注射しなくても淋巴路或は毛細管から薬液が吸収されて神経を侵すことがあり、この場合は医師が如何に注意を尽しても避けえないが通常の場合医師として本件の如き注射〔下熱剤として二五％強キニーネ薬液〕に際しては、これまで安全とされて来たグロス三角部を選び針の深度、注射時の筋肉の収縮工合等、針が神経に近接しないように技術上の注意をした上で注射を行うならば本件のような結果は生じないと認められる。……被告は本件注射に当り最善に注意を尽し多年の経験に基いてグロス三角部内に三―四糎の深度で注射を行つたと主張し、被告本人はこれに添うごとき供述をしているが右供述はにわかに措信し難く、その他に被告が万全の注意を払つたことを認めるに足る証拠はない。果して然らば原告が前記認定のごとく甚だ稀にみられる神経周囲淋巴路毛細管の特によく作用する特異体質者であるとの反証がない限り、本件結果は被告が安全部位以外に注射したか或は安全部位内に行つたとしても如上注意を怠つたために惹き起されたものと推認せねばならない。」（京都地判昭二七・七・二五下級民集三・七・一〇六）

前述【93】の判決は、化膿症患が生じた後に早期に適切な処置をとらなかつた過失のほか、ビタミン注射の際「注射液が不良であつたか、又は注射器の消毒が不完全であつたかのいずれかの過誤」があつたことを認めたものであるが、その上告審判決は、過失の認定方法に関する判示をとおして挙証責任の問題にふれるものを含んでいる。すなわち、いま述べた原審判決に対して、医師の方から、右のどちらに過誤があるのか不明だから、審理不尽または理由不備であると上告したのに対して、最高裁は次のように判示したが【106】、その趣旨は、上膊部の化膿と注射との間に因果関係の認められる以上、特別の事情のないかぎり、医師の注射行為に過失があると認めて差支なく、さらに注射液の不良によるか注射器の消毒不完全によるかを確定する必要はない、とするものであって、上述の『一応の推定』を注射行為について認めたものといってよいであろう。

【106】「原審は、挙示の証拠により『Xの心臓性脚気の治療のため注射した際にその注射液が不良であったか、又は注射器の消毒が不完全であったかのいずれかの過誤があった』と認定したけれども、注射液の不良、注射器の消毒不完全はともに診療行為の過失となすに足るものであるから、そのいずれかの過失であると推断しても、過失の認定事実として、不明又は未確定というべきでない。」（最判昭三二・五・一〇民集一一・五・七一五）

三　医療上の注意義務の具体例

個々の医療行為に際して要求される具体的注意義務を明確に判示する判決中、注目すべきものをあげる。

(1)　伝染病の場合

【107】【100】の第一審判決。「凡ソ七歳ノ小児ガ斯ル原因不明ノ高熱ヲ持続シ、而カモ自ラ腸チブスヲ疑フベキ症状ニ在ル場合ニ於テハ、医師タルモノハ宜シク周到綿密ナル注意ヲ用ヒ、其ノ原因ヲ確認スベキ総ユル手段方法ヲ講スベキ義務アルハ勿論、附添看護婦ニ対シテモ適当ナル予防方法ヲ講ズベキ旨注意ヲ与フベキハ、正ニ普通ノ医師トシテ当然採ルベキ義務ナリト解セザルベカラズ。殊ニ被告ガA〔看護婦〕ヨリBガ腸チブスニ非ズヤトノ質問ヲ受ケタルニ拘ラズ、発熱ノ原因ヲ確認スベキ何等ノ方法ヲ採ラズ、軽卒ニモAニ対シBノ病気ハ腸チブスニ非ザル旨言明シタルコト前認定ノ如クナルニ於テハ、被告ハ到底医師タルモノノ為スベキ叙上注意義務ヲ欠缺シタル譏ヲ免レザルモノト謂ハザルベカラズ。」（大阪地判昭一五・一一・二〇新聞四七八六・三）

(2) 腸管破裂の場合――【103】参照。

(3) 手術の場合

(イ) 手術による副作用

【108】斜視匡正手術の副作用を除去すべき注意義務に関するもの。「医師トシテ斜視眼匡正手術ヲ為シタル後患者ニ複視ノ症状発生シ、右複視カ容易ニ消失セザル場合ニアリテハ、其経過ヲ観察シ其原因ノ探究ニ当ルト共ニ、患者ヨリ、特ニ苦痛甚シク為メニ其ノ業務ニ従事シ得ザル旨ノ訴ヲ受ケタルトキハ、該症状ノ経過ヲ観察スルニ相当ナル期間ヲ経過シタル以上、複視消失ニ長期間ヲ要シ又ハ不治複視ノ存スル場合アルヲ慮ルト共ニ、右手術ガ専ラ整容ノ為メニ為サレタルモノナルコト前記ノ如クナルニ鑑ミ、患者ヨリ特ニ複視匡正ノ為メノ手術ヲ求メザル場合ト雖モ、先ヅ患者ヲシテ右苦痛ヲ免レシメ得ル範囲ニ於テ整容ノ目的ヲ求メ、該複視除去ニ付漫然経過ヲ観察スルニ止メズ前記手術ノ結果ヲ緩和スルニ適当ナル手術等ヲ施シテ、患者ノ苦痛ヲ免レシムル方法ヲ採ルベキ注意義務アルモノト認ムルヲ相当トス。」（東京地判昭四（ワ）一六一七新聞三三二二（昭六・一二・五）・一五）

(ロ) 人工分娩

【109】安全鉗子で胎児を分娩させた際、子宮破裂を生じ小腸が脱出し、それを臍帯と誤認して除去したため死亡した刑事事件。「被告人ハ医師トシテ、分娩困難ノ場合ニハ子宮破裂ヲ生ジ小腸ノ脱出シ来ルコトアルニ注意シ、且子宮破裂ノ間隙ヨリ脱出シ来リタル小腸ナリヤ胎盤ニ接着セル臍帯ナリヤニ注意シ之ヲ判断スベキ責務アリ……」（大刑判昭五・七・八新聞三一七八・四）

(4) 整形外科の場合

【110】複雑骨折患者を治療するに当っては、「現代医術が当然要求している通常且可能な治療方法と器械の

利用等を十分行ふべく、若し医師においてこれら通常且可能な方法と器械の利用を行ふことができないときは、応急処置後速かに患者をして右の方法による治療を受け得るように適当な方策を講ずべきである。」(水戸地下妻支判昭三〇・一〇・二〇下級民集六・一〇・二〇八七)――被告は原告の複雑骨折の治療に当り、接合すべき上下の骨片を十分けん引せず、かつ整復に対する十分なる確認をなさず、転位して接合し、接合後においても、レントゲン機を所有しておらなかつたためこれによる検査確認を怠り、転位して重畳的に接合されてあるのに気付かなかつた点で、過失を認定された。

(5)　輸血の場合――【90】参照。

(6)　注射の場合

(イ)　キニーネ薬液の注射の場合――【105】。

(ロ)　小児に対し、肋膜から水をとるべく注射針を刺す場合――【104】。

(7)　薬剤使用の場合

(イ)　新薬の使用

【111】　淋毒性肛門周囲炎・尿道炎の患者の静脈に、銀エレクロイド一瓶の全量を一回に注射して、死亡させた事件。「吾国現時ノ新薬自由ノ制度、即チ、製薬業者ハ新薬ノ製造発売ニ付何等官庁ノ監督ヲ受クルコトナク自由ニ如何ナル新薬ヲモ発売シウベク之ヲ選択シテ使用スベキ途ヲ医師ノ自由ニ委ネタル制度ノ下ニアリテハ、之ニヨリテ医薬ノ進歩ヲ促スコト言ヲ俟タザルトコロナリト雖、一面新薬ノ簇出ニ伴ヒ不良製品ノ出現スルニ至ルベキコトモ亦想像スルニ難カラザルトコロナレバ、新ニ発売セラレタル新薬ヲ使用セントスル者、殊ニ静脈内注射ノ如キ危険多キ方法ニヨリ之ヲ使用セントスルモノハ、繰返シテ試ミタル動物試験其他慎重ナル

自家ノ研究ニヨリ有効ニシテ無害ナルコト少クトモ無害ナルコトヲ確ムルカ、或ハ各大学医学部等其他信頼スベキ研究所ノ研究ノ結果等ニヨリ広ク一般ニ無害ナルモノト認メラレタルモノニ非ザレハ、猥リニ人体ニ之ヲ試ムベキニ非ズ。徒ラニ療法ノ新規ヲ競ヒ其ノ人体ニ及ボス作用未ダ明確ナラザル新薬ヲ軽々ニ使用スルガ如キハ医師トシテ当然用フベキ注意ヲ欠キタルモノト云ハザルベカラズ。」また、「斯ノ如ク製薬者自身何等自信ナク屡々用法ヲ変更スルガ如キ不確実ナル薬品ヲ使用スルニ際シテハ、先ヅ極小量ヨリ徐々ニ試ミ副作用ノ有無ニ留意シ、殊ニ静脈内注射ノ方法ニヨル場合ニアリテハ強心剤ノ要否ヲ考慮シ漸次有効分量ニ達セシムベキ等細心ノ用意ヲ要スルコト、当然ノ責務ナリ。」（東京地判大一四・六・三新報六八・二三）——右のような注意義務に反する二重の過失があるとし、ことに一気に全量を注射したのは「甚シキ過失」としている。

(ロ)　患者の持参した注射液の使用

【112】結核性脊髄カリエス患者が夫から受取つた注射剤ぶどう糖カルシウム五本在中の箱を持参して注射を求めた。封緘紙は切つてあり、うち三本にはレッテルがなかつたのに注射したところ、それは劇薬カルピノール一号で、患者は死亡した、という刑事事件。「本件薬液には、そのアンプルに現にレッテルの貼付なく、その品質種類の判別につき、拠るべき明白的確な資料を欠如しているのであるから、良識をそなえた通常一般の医師である限り、品質種類の確実でない薬液の注射による不慮の障害の可能性を蓋然的に予見することの必ずしも不能でないことは、健全な常識に照らして明白である」ので、「患者の依頼があつても医師としてはこれを拒絶すべき業務上の注意義務があると解するのが相当である。」（福岡高刑判昭三二・三・一二（井上「過失犯の判例と批判」警察研究二八巻一〇号六九頁以下から引用））

(ハ)　外国人から麻薬の注射を求められた場合

【113】言語がほとんど通じない未知の外国人からモルヒネおよびヘロインの注射を求められるまま、モルヒネを注射した上、極量の数十倍に達するヘロインを静脈に注射して、死亡させた刑事事件。「医師ハ斯ル場合注射

ヲ求ムル患者ノ生命、身体ニ対スル危険ヲ防止スル為深甚ナル注意ヲ払ヒ、注射ヲ為スノ必要アリヤ否ヤヲ診断シ、若シ注射ノ必要アリト認定シタル場合ト雖モ、濫リニ患者ノ要求スルガ儘ニ『モルヒネ』又ハ『ヘロイン』ノ量ヲ投与スベキニ非ザルコト勿論ナリ」「医師ガ日本薬局方ノ極量ヲ超過シテ濫ニ多量ノ麻薬ヲ欲求スル言語殆ド不通ニシテ且未知ノ慢性麻薬中毒者ニ遭遇シ、然カモ初メテ麻薬ヲ投与スル場合ニ於テハ、更ニ一層ノ注意ヲ払ヒ、以テ適量ノ注射量ヲ確定スベク、又其ノ麻薬一回ノ投与量ハ日本薬局方ノ一回ノ極量ヲ限度トシテ投与シテ、其ノ効果現ハレザルニ及ビテ相当ノ時間ヲ置キツツ徐々ニ其ノ量ヲ漸増シテ其ノ全所要量ヲ確定スベク…」（福岡地刑判昭一五・一二・六新聞四六九八・六）

(ニ)　調剤の資格能力のない者に調剤させる場合——【94】。

(ホ)　泣き続けている幼児に丸薬を服薬させることを看護婦に命ずる場合——【95】。

(8)　看護の指導に関する場合

【114】　前出【101】の判決では、医師の看護指導上の過失が問題となり、次のように判示した上で、むしろ、深夜だからといって医師に連絡しなかつた患者の叔母に看護上の重大な過失があるとした。「医師法第二三条の規定は医師の患者に対する当面の診定した症状に対して適切な指導をなすよう命じた規定であると解すべきであつて其の症状の変化が予想される場合に於ても、如何に変化するかは具体的には特定し難いのであり従つて其の変化に応ずる看護上の指導をなすことは頗る至難の事に属する。即ち現在の症状につき観念的な因果関係を際限なく拡大分化し夫々に対する看護上の指導を医師に要求することは不能であると共に仮にこれが可能であるとしても斯の如きは付添看護者をして困迷惑乱せしめて其の執るべき手段を不明ならしめひいては看護を誤らしめるに至るであろう。特に医師が斯る病状の変化を予想していない場合には尚更医師に斯る要求をなすことはできず、同条も亦斯かること迄も医師に命じている規定と解することはできぬ。」（金沢地判昭三一・四・三〇下級民集七・四・一

五一〇）

九　報道業務の場合

一　報道機関（新聞社・放送局）は私人の不名誉な行為についても報道するものであり、しかも迅速を旨とし、興味をそそる表現をさえ要求するものであるから、それは必然的に人の名誉を毀損する危険をはらむ。ただ、そのような危険な行為も、事実を世間に報道するという報道機関の使命の公共性と、その地位を濫用しない義務とによつて許容されているのである。したがつて、報道機関は、最近の一判決が新聞についていうように、

【115】「他人の私行に関する記事の掲載については、……特にその記事の正確性、真実性に格段の意を用い、その表現においてもみだりに他人の名誉を傷つけないよう配慮する義務を有する。」（東京高判昭二九・五・一一下級民集五・五・六八一――【124】参照）

しかし、他方、報道機関（とくに新聞）の性質上、右の注意義務には制限がある。

【116】「新聞紙はその性質上報道の迅速なることを要求され、又記事の内容についても紙面による制約を受けざるを得ないものであるから、前記注意義務の程度にも社会通念上自ら限界が存すると謂うべきであり、従つて……取材、編集に際し当該記事が真実であると信じるに足る相当の理由があつたとき……は不法行為に問責することは当を得ない。」（東京地判昭三一・五・二二下級民集七・五・一三二四）――【20】と同一判決。

すなわち、たとい他人の名誉を毀損する記事であつても、真実であると信ずるにつき正当の理由がある場合には、過失がないことになるのである（同時に違法性も欠くことになる）。もつとも、判決によつては（たとえば東京地判昭三一・一一・五

(下級民集七・一一・三一〇八)、直接名誉毀損について認識しうべきだつたか否かによつて、過失の有無を決めている(真実と信ずるにつき相当の理由があつたか否かは違法性の問題としてのみ捉える)が、そのような認識可能性は、「新聞業務に従事する者の通常有すべき意識感覚から容易に推知しうるところで」あるから(同判決)、とくに問題とする必要はないであろう。問題は、違法性阻却事由たる『真実性』の信頼についての過失の有無である。この点に関する過失は、新聞企業の有する膨大な取材・編集の機構にもかかわらず、『推定』を受けないとされることに【117】、注意すべきである。

【117】「原告は被告会社は膨大な取材編集の機構を有しその発行する新聞の記事も社会的に権威あるものとされているからいやしくも事実と相違する本件記事を掲載報道した以上経営担当者又は取材編集担当者の故意、過失を推定すべきである旨を主張するが、仮に原告主張のような前提事実が存在したとしてもこれによつて原告主張のような事実上の推認が生じるものでないし、又衡平の観念からしてもいまだ故意、過失の挙証責任を転換すべき合理的な根拠は見出せないから、原告の右主張は理由がない。」(東京地判昭三一・五・二一下級民集七・五・一三一四)

二　取材過程における過失

取材過程で報道機関の過失が問題となるのは、情報の真実でないことが後日判明した場合に、それを真実と判断したことについて相当の注意を払つたか否かという点である。そして戦後の判例(下級審)によれば、大体、捜査の責任者のような信頼すべき筋から情報を得た場合【118】【119】【120】や、報道機関の周到な調査によつて情報の真実性を信ずるに至つたような場合【121】には、過失が否定されている。

【118】新聞社が捜査課長から取材した場合。「本件記事のようにその取材の対象が信頼すべきものでその間

何等疑を挿むべき情況も認められない場合においては新聞社としては、更に自己の捜査機関によつてその真否を確める必要はないものと解すべきのみならず、たとえ被控訴新聞社が直接自己の調査機関を通じてその真否を確めるとしても、新聞記事としての報道の迅速という時間的制約の下においては事柄の性質上これ以上真相の探知をなし得べきものとも考えられないので被控訴新聞社が真否を確めることをなさず、捜査課長からの取材にかかる事実を以つて直ちに真実であると信じたのについては何等過失はなかつたものと認めるのが相当である。」（福岡高判昭二八・一・一六下級民集四・一・三八）

【119】　放送局が警視庁から取材した場合。「右Aは東京警視庁記者クラブ詰めの放送記者として、同庁少年課保護係のB警部補から捜査資料に基いて、前記認定の放送内容とその趣旨において同一内容の取材資料を入手してメモにとり、同警部補からすでに新聞記者に発表済みであることを聞いたが、なお、同課の警部（発表係）から、右取材したメモの内容が同課において報道用として作成していた資料の内容と同一である旨の確認とその報道の許可を受けたうえ、右取材メモどおりを電話で被告の報道局取材部に送信したこと、右取材の方法は警視庁において日常一般に行われている方法であること…が認められ、…従つて前記認定の放送内容は、原告ら両名が警視庁少年課において取調べを受け送検されたこと及びその嫌疑の内容を同課の発表どおりに報道したに止まるものというべく、右認定の事実に徴すれば、前記Aにおいて右ニュースの取材に当り、その真否を確めるについて通常払うべき義務を尽したものと解するのを相当とする。」（東京地判昭二八・九・八下級民集四・九・一二六三）

【120】　事件担当警察職員から取材した場合。「事件の捜査を担当した警察職員から記事の取材がなされた場合において、その事実が全く警察職員の捏造にすぎないと認められる状況が窺われたのなら格別、さような状況もないのに新聞社が一応これに疑を挿まなかつたからとて判断の軽卒を責めるのは酷にすぎるのみならず、たとえ被告新聞社が自主的調査によつて真否を確めるにしても、新聞記者として報道の迅速を要求される関係からして、事柄の性質上右取材以上に真相の探知をなし得べきものとも考えられない故、被告新聞社が更に裏

付取材によつて真否を確めず、前記間接取材の事実を直ちに掲載報道したことについてはなんら過失はなかつたものと考えるのが相当である。」（東京地判昭三一・五・二一下級民集七・五・一三二四）――【116】と同一判決。

【121】　新聞が一市会議員の非行につき、Aという男の供述を――Aの同僚上司や検察官等から聴きえた説明に基いて――事実と認め、『真実を語る青年を拳銃で脅迫』の見出の下に報道した事件。「控訴新聞社B記者の調査の対象、範囲、内容からみて、迅速性を要求する新聞記事の取材に際し、国家の捜査機関なれば格別民間の一事業である控訴新聞社としては事実調査に相当の注意を払つたものと考えられ、然かも該調査によつて蒐集された前段認定の全資料に基いて控訴新聞社の所謂編集デスクが前示のようにAの供述の真実性を認定しても決して無理ではなく、少くとも該事実を真実なりと信じたについて過失の責むべきものがないことが明白である。」（広島高判昭二九・一〇・一四高裁民集七一一・八八五――なお【126】参照）

これに反し、新聞が、刑事事件の被告が小切手・手形偽造の点で無罪となつた事実を裁判長から聴きながら、漫然その点を確かめないで、『小切手詐欺女に判決』の見出の記事を出した場合【122】、【123】窃盗容疑令状で逮捕され、ただ見込として強盗容疑の取調を受けたにすぎない者について、係官（事件担当の係刑事および刑事部長）に会つて断片的に探知しただけで逮捕状等の書類を調べることなしに、強盗容疑者として新聞に報道した場合（京都地判昭二六・三・八下級民集二・三・三五三　なお【127】参照）、【124】華僑悦来自治会への警察の手入れについて、とくにある新聞だけが自治会を『大掛りな麻薬団の本拠』であるとし、悦来荘の居住者を『麻薬等のブローカーを常習としておる』と解される記事を載せた場合（東京高判昭二九・五・一一下級民集五・五・六八一――【115】参照）、また、郵便車強盗事件の捜査に際して、警察官の単なる嫌疑または見込から詐欺の被疑事実について逮捕された者を、警察の態度等に基いて、郵便車強盗事件の容疑者として逮捕されたものと考え、新聞にそのように大々的に報道した場合【125】は、過失とされる。

【122】「迅速と簡潔が日刊新聞として記事の価値を高め、紙面の制約に対処する重要な要請であること勿論であるが、それは新聞の生命ともいうべき『真実』なる絶対的条件に譲歩さるべきものであるのみならず、本件においては些少の注意を惜しまなければ真実を追究するのに必ずしも迅速と簡潔の要請を犠牲にしなければこれをなし得なかつたとは認められないから、この点に関する被告の所論は採用できない。」（神戸地判昭二五・三・二八下級民集一・三・四二八）

【125】「現行刑事訴訟法の下においては現行犯の場合を除き犯罪容疑ありとして被疑者を逮捕するには適法な疎明資料を審査し一定の犯罪容疑のあることを確認した上発布される裁判官の逮捕令状を必要とするのであるから、犯罪容疑による逮捕といい得るには右の如き裁判官の発した逮捕令状の存在を前提とするのであつて、警察官の単なる主観的嫌疑乃至見込の程度においては未だ逮捕される容疑ありとなすことはできないのである。従つて詐欺の容疑により逮捕した原告に対し前掲郵便車強盗事件の関連事実につき取調べをした事実があるとしても、それは警察官の単なる主観的嫌疑乃至見込の域を出ず、余罪取調の段階に過ぎないのであつて、斯る捜査状況より見て直ちに原告が強盗事件の容疑者 として 逮捕されたものと断定することは速断で」ある。（甲府地判昭三一・二・二下級民集七・二・二〇〇）

三　表現過程における過失

報道機関の表現ことに新聞記事の見出し前文などは、その性質上、ある程度の誇張は、やむをえない。

【126】「見出し、前文は簡略且端的に内容を表示し読者の注意を喚起し本文を読まさんとする意図を有する性質上多少表現が誇張されることは蓋し已むを得ないところ」である。したがつて、本文の談話が『よけいな

ことをしゃべるとピストルでバラスぞ』となっているのを、見出しで『拳銃で脅迫』と表現するのは過失とはならない。（広島高判昭二九・一〇・一四高裁民集七・一一・八八五——なお【121】参照）

しかし、何といっても、報道機関はその表現においてもみだりに他人の名誉を傷つけないよう配慮する義務を有する【115】

したがって、前出【115】＝【124】の事件では、取材の点だけでなく「取材の整理等」についても、「情報の真実性に関する判断について……注意に欠けるところがあった」とされ、また、前出【123】の事件では、次のように取材表現上にも過失があるとされるのである。

【127】「警察における単なる『犯罪の見込』による取調と特定の『犯罪容疑による逮捕』との意味内容の本質的相違は警察関係探訪記者として当然理解し少くとも理解しているものと期待しなければならないから、取材表現上にも過失がある。」（京都地判昭二六・三・八下級民集二・三・三五二）

判例索引

大審院判例

最高裁判所判例

控訴院判例

高等裁判所判例

地方裁判所判例

区裁判所判例

著者紹介

石《いし》本《もと》雅《まさ》男《お》　大阪大学教授

四《しの》宮《みや》和《かず》夫《お》　神奈川大学教授

総合判例研究叢書　民法(9)

昭和33年6月25日　初版第1刷印刷
昭和33年6月30日　初版第1刷発行

著作者　石本雅男
　　　　四宮和夫

発行者　江草四郎

印刷者　平尾秀吉

東京都千代田区神田神保町2ノ17

発行所　株式会社　有斐閣

電話九段(33)0323・0344
振替口座東京370番

印刷・新日本印刷株式会社　製本・稲村製本所

総合判例研究叢書 民法(9)
(オンデマンド版)

2013年1月15日　発行

著　者　石本　雅男・四宮　和夫
発行者　江草　貞治
発行所　株式会社 有斐閣
〒101-0051　東京都千代田区神田神保町2-17
TEL　03(3264)1314(編集)　03(3265)6811(営業)
URL　http://www.yuhikaku.co.jp/

印刷・製本　株式会社 デジタルパブリッシングサービス
URL　http://www.d-pub.co.jp/

AG462

ISBN4-641-90988-1
Printed in Japan